KB113966

미천왕 –한반도에서 한사군을 축출하다

서연비람은 조선 시대 왕궁 내, 강론의 자리였던 서연(書筵)에서 강관(講官)이 왕세자에게 가르치던 경전의 요지를 수집하여 기록한 책(비람備覽)을 말합니다. 서연비람 출판사는 민주주의 국가의 주인인 시민들 역시 지속 가능한 과거와 현재, 미래의 이치를 깨우치고 체현해야 한다는 믿음으로 엄선한 도서를 발간합니다.

역사와 문학 비람북스 인물 시리즈

미천왕–한반도에서 한사군을 축출하다

초판 1쇄 2021년 11월 30일
지은이 오탁번
편집주간 김종성
편집장 이상기
펴낸이 이은아
펴낸곳 서연비람
등록 2016년 6월 29일 제 2016-000147호
주소 서울시 강남구 도곡로 422, 5층
전자주소 birambooks@daum.net

ISBN 979-11-89171-34-6 44810
ISBN 979-11-89171-26-1 (세트)

값 9,800원

역사와 문학

비람북스 인물시리즈

미천왕

한반도에서 한사군을 축출하다

오락번 지음

차례

머리말

소설 『미천왕-한반도에서 한사군을 축출하다』는 원래 1974년 한국문화예술진흥원에서 기획하여 발간한 〈민족문학대계〉에 『미천왕』이라는 이름으로 수록됐던 전작 역사소설이다. 거의 반세기가 흐른 지금에 와서 되돌아보니 그 젊은 나이에 어떻게 이런 정통적인 역사소설을 다 써냈을까 하는 생각이 앞선다. 대학의 전임강사로서 현대문학을 강의하며 막 교수 생활을 시작하던 팔팔한 청년 시절이었다.

『삼국사기』와 『삼국유사』에 나오는 미천왕의 기록을 근거로 해서 서사적인 뼈와 살을 만들어가는 소설창작의 작업은 힘든 고통이면서도 한편으로는 우리 민족의 웅대한 꿈을 따라 아득한 과거로 여행하는 가슴 설레는 기쁨이기도 했다. 역사적 사실과 나의 문학적 상상력이 서로 밀고 당기며 소년 을불이 하늘의 뜻을 받아 왕으로 등극하여 국가의 기틀을 다져나가는 용맹한 역사의 한복판으로 서슴없이 나아갈 수 있었기 때문이었다.

당시 나는 1주일을 반으로 나눠서, 앞은 대학교수로서 뒤는 시인과 작가로서 살기로 독하게 작정하고 암흑의 시공간으로 나를 몰아넣으면서 소설 창작에 몰두하였다. 7~80년대는 현실과 이상이 서로 패대기치고 정신과 육체가 드잡이하는 적의만 번뜩이는 시대였다.

　이번에 『미천왕』을 처음부터 끝까지 찬찬히 읽어 나가며 어려운 어휘는 풀이하고, 해설·미천왕 연보·한국사 연표를 붙여 『미천왕-한반도에서 한사군을 축출하다』로 개제하여 서연비람의 〈역사와 문학 비람북스 인물 시리즈〉의 한 권으로 출간하게 되었다.

　작가의식 속에는 한마디로 말할 수 없는 신비한 패러다임이 있다. 내 문학적 영토의 암사지도에는 어린 시절의 꿈과 가족의 사랑 그리고 전쟁의 공포와 현실에 대한 분노와 좌절이 그때그때 아름답게 또 참혹하게 꿈틀거린다. 소설 한 편을 끝내면 등장인물과 함께 죽었다가 담날 새벽이면 다시 눈을 뜨고 현실과 몽상을 가로지르는 작두날 위에 섰다.

2021년 가을
오탁번

1. 시골로 도주하다

을불이 국내성을 떠난 것은 봉상왕 2년, 서기 293년 9월 열나흗날 이른 새벽이었다.

을불은 그때 열다섯 살의 어린 소년이었다. 성의 높은 담을 뛰어넘어 망루의 파수병에게 들키지 않고 성 밖의 마장[1]까지 간다는 것은 을불 소년에게는 쉬운 일이 아니었다. 열나흗날 달은 서편으로 기운 채 환하게 밝았다. 만일 파수병의 눈에라도 띄는 날에는 영락없이 붙잡히고 말 것이었다.

열다섯 살이었지만 기골은 청년만큼 장대하고 여덟 팔자로 째진 눈은 달빛을 되받아 무서운 야광[2]을 토해내고 있었다.

아버지가 왕의 손에 살해되었다는 소식을 들은 것은 바로 어젯밤 이슥해서였다. 을불은 언제나 마찬가지로 어젯

---

1 마장(馬場): 말을 매어 두거나 놓아기르는 곳.
2 야광(夜光): 어둠 속에서 빛을 냄.

밤에도 이슥하도록 활터에서 활을 쏘고 있었다. 을불은 어려서부터 아버지 돌고를 따라 사냥터에서 활 솜씨를 익혀 이미 그의 궁술3은 성안에서는 귀재4로 이름이 나 있었다. 무예를 연마하는 길은 멀고도 험하다. 가도 가도 끝이 없고 한 가지를 익히면 다음이 더 어려워진다.

용왕매진5하는 맹수나 공중에 날아가는 독수리를 맞힌 것은 이미 을불의 나이 열세 살 때였다. 그러나 엄격하기로 이름있는 아버지는 행여나 을불이 손끝의 재주에 자만하여 장래를 그르칠까 염려하여 한 번도 입 밖에 내서 그 아들을 칭찬한 적이 없다.

살생6을 한다고 생각하고 활을 쏘면 안 된다는 게 돌고의 가르침이었다. 활 쏘는 것은 살아 있는 생물을 죽이는 데 그 목적이 있는 것이 아니라, 궁수7의 정신력을 통일하여 호연지기8를 기르는 데 그 목적을 두어야 한다고 늘 아들

---

3 궁술(弓術): 활 쏘는 기술.
4 귀재(鬼才): 세상에 드문 재능. 또는 그러한 재능을 가진 사람.
5 용왕매진(勇往邁進): 거리낌 없이 용감하고 씩씩하게 나아감. 용왕직진(直進).
6 살생(殺生): 짐승이나 사람을 죽임.
7 궁수(弓手): 활을 쏘던 군사.
8 호연지기(浩然之氣): 도의에 뿌리를 박고 공명정대하여 조금도 부끄러울 바 없는 도덕적 용기.

에게 가르치던 아버지였다.

을불이 야간에도 활터에서 활을 연습하는 것은 지난 봄부터였다. 백 보 앞에 작은 솔방울을 매달아 놓고 활을 쏘는 것인데, 물론 밝은 대낮에는 얼마든지 쉽게 명중시킬 수 있지만 날이 저문 다음에는 맞히기가 여간 어려운 게 아니었다. 어려운 게 아니라 불가능한 일이었다.

그러나 며칠을 계속하고 나니까 어둠 속에서도 작은 솔방울을 맞힐 수가 있었다. 이것은 이상한 일이었다. 눈에 보여서 겨냥하는 것이 아니라 시위를 떠난 화살이 스스로 눈을 뜨고 솔방울을 찾아가는 것이었다. 을불로서는 그렇게밖에는 믿을 수가 없었다.

"화살은 눈이 밝아야 되느니라."

돌고가 언젠가 한 이 말을 비로소 이해하게 된 을불은 차츰차츰 야간 연습에 재미를 붙이게 되어 벌써 몇 달 동안 밤늦도록 활터에서만 살아서, 어머니 사미 부인은 애를 태워야 했다. 아들의 혼사를 마무리해야 될 텐데 날이 가면 갈수록 활에만 정신을 팔고 있으니 애가 탈 노릇이었다.

"을불을 좀 나무라서 혼사 일에 마음을 쓰도록 해 주셔야 되오리다."

사미 부인이 이렇게 말하면 돌고는 턱을 뒤덮은 수염을

손바닥으로 쓱쓱 문지르며 껄껄 웃었다.

"사내대장부가 계집보다 활을 더 좋아한다고 하여 뭐가 흉이 될 게 있겠소? 을불이 녀석은 비범한 아이니까 하늘이 때를 알아서 모든 것을 정해 주리다. 과히 심려 마오."

그때, 마당에서 모이를 쪼아 먹던 병아리 떼 위로 검은 구름장이 내려 덮이는 것을 보며 돌고는 말을 중단했다. 그놈은 무시무시하게 큰 독수리였다.

돌고는 얼른 전동9에서 화살을 뽑아 미처 활시위에 걸 틈도 없이 그냥 손으로 던졌다. 독수리는 화살을 맞고 날개를 푸득거리다가 공중으로 높이 날아 올라갔다.

"나도 이제 늙었나 보오. 내 화살에 맞아서 죽지 않는 놈도 있구려."

돌고는 섬돌에서 내려서며 독수리가 날아가는 모습을 지켜보았다. 사미 부인도 손으로 햇빛을 가리고 하늘을 올려다보았다. 그때 날아가던 독수리가 핑그르르 한 바퀴 돌다가 아래로 돌팔매처럼 떨어져 내렸다.

돌고는 빙그레 웃었다. 아직 자기의 무예가 시들지 않았

---

9 전동(箭筒): 화살을 넣는 통.

다는 자신이 들었기 때문이다. 한창 만주 벌판을 누비며 사냥을 하던 때는 돌고의 활을 당할 사람이 없었다.

지아비가 빙그레 웃는 모습을 보며 사미 부인도 만족스러운 얼굴이 되었다. 그녀는 곧 하인을 시켜 건너편 지석묘10 쪽에 떨어진 독수리를 가져오라고 분부했다. 묘지 뒤편으로는 울창한 수목이 퍼져 나가고 있었다. 대낮에도 곰이 엉금엉금 기어 나오기도 하고 호랑이가 어슬렁대며 울부짖기도 해서 그곳은 이 마을 사람들의 좋은 사냥터이기도 했다.

사람과 짐승이 따로따로 그 거처를 정해 놓고 살아가는 것이 아니라, 한꺼번에 같이 뒹굴며 살아가는 것이었다. 아침에 잠자리에서 눈을 뜨면 어떤 때는 어린 토끼나 여우 새끼들이 발꿈치에서 낑낑대기도 했다. 폭설이 퍼붓는 겨울에는 이런 일이 더욱 많아서, 추위를 피하여 인가로 내려오는 짐승들과 함께 겨울을 나는 일도 있었다. 가축과 야생 짐승의 구별이 뚜렷하지 않던 때라서, 말도 천성이 사나운 놈이면 산으로 도망을 가서 살고 온순한 산짐승은 인가를 찾아

---

10 지석묘(支石墓): 고인돌.

와서 고개를 빼물고 먹이를 기다리기도 하는 것이었다.

한참 후에 하인은 독수리를 들고 돌고 앞에 나타나서 한 발을 꿇고 절했다.

"목을 꿰뚫었습니다."

하인은 독수리에 꽂힌 화살을 쳐들며, 한편으로는 숨을 헐떡이면서 말했다. 그러고 보니, 숨을 헐떡이는 것은 하인뿐이 아니라, 하인의 상반신만큼 큰 독수리도 숨을 헐떡이며 이따금 날개를 푸드덕거렸다. 독수리의 목에서는 검붉은 피가 뚝뚝 떨어져 내리고 있었다.

"으흠…… 역시 나는 늙은 모양이오."

돌고는 독수리를 찬찬히 들여다보다가 갑자기 한숨을 쉬며 사미 부인을 돌아다보았다.

"이것 보오. 이건 내 화살이 아닌 것이오. 이건 바로 그 녀석의 화살이오이다."

독수리 목에서 화살을 쑥 빼어 들며 돌고가 말했다. 화살 끝에는 노란 조우[11]가 꽂혀 있었다. 사미 부인도 깃털을 보자 얼굴빛이 달라져서 지아비를 쳐다보았다.

---

11 조우(鳥羽): 새의 깃털. 새 깃.

돌고의 화살은 빨간 조우로 표시를 하고 아들 을불의 것은 노란 조우로 표시를 하는 것은 하나의 가풍이었다. 서로 화살이 달라야만 사냥을 할 때 짐승을 누가 맞혀서 잡았는지 알게 된다. 그렇지 않으면 누구의 살에 맞았는지 알 도리가 없다. 사냥꾼들은 늘 자기의 화살에는 서로 헷갈리지 않도록 독특한 표시를 해 둔다.

"건너편에 을불이 있더냐?"

하인을 향해서 내뱉는 돌고의 음성에는 노기가 엇갈려 있었다.

"예. 숲속에서 말을 타고 사냥을 하고 있더이다."

"가서 그놈을 냉큼 잡아 오렷다!"

하인은 무슨 영문인지도 모르고 벌떡 일어나서 쏜살같이 뛰어갔다. 큰 돌이 삐죽삐죽 솟은 묘지를 돌아 하인은 숲속으로 빨려 들어가는 것처럼 사라져 버렸다.

을불은 성의 담을 단번에 뛰어넘어 마장 쪽으로 발길을 재촉하면서 아버지의 얼굴이 눈앞에 크게 떠올라 하마터면 '아버님!' 하고 부를 뻔했다. 노기를 띤 얼굴이면서도 그때의 아버지의 표정은 말 못 할 기쁨으로 충만되어 있었다.

"이놈! 애비가 쏜 화살만으로도 떨어질 수 있는 법이거늘 함부로 화살을 쏘다니?"

"아버님!"

"닥치지 못할까! 손끝의 재주만 믿고 무예를 함부로 드러내다가는 화를 당하게 되는 법이니라."

돌고는 그때 애써서 아들을 나무랐다. 옆에서 듣고 있던 사미 부인이,

"아버님께서는 시위를 당겨서 화살을 쏜 게 아니라 손으로 던진 것이야. 네가 화살로 맞히지 않았으면 독수리는 훨훨 날아가 버리고 말았을 것이다."

하며 아들을 두둔하자 돌고는 턱수염을 쓰다듬으며,

"너의 활 솜씨는 그만하면 성안에서 으뜸이다. 허지만 너는 한낱 평범한 궁수로 평생을 보낼 사람이 아니다. 오늘부터는 야간에 활 쏘는 연습을 하도록 하여라."

하며 분부를 내리는 것이었다.

"활은 제 스스로 눈이 밝아야 하느니라. 활을 단순한 하나의 병기12로만 취급하지 말고, 너와 꼭 같은 인격을 지닌 존재로 파악하는 것이 무엇보다 중요한 법."

이런 일이 있었던 것이 지난 봄이었다. 그때부터 을불은

---

12 병기(兵器): 전쟁에 쓰는 기구의 총칭. 병장기. 무기(武器).

밤에 활 쏘는 연습을 맹렬히 하기 시작했다.

야간 활쏘기, 그것은 하나의 신기13에 속하는 것이다. 인간으로서는 터득하기 어려운 신비에 휩싸인 것이었지만, 몇 달을 연습하고 나니, 돌고의 말대로 과연 화살은 차츰차츰 눈을 뜨기 시작하여 어둠에 가린 솔방울을 정확하게 찾아가는 것이었다.

화살이 눈을 뜬다. 이것은 을불이 처음 겪는 감동이었다.

밤이 이슥하여 활터에서 돌아오는데 을불은 자기도 모르게 전동에서 화살을 빼어 시위에 걸고 당긴 일이 있었다. 캄캄한 밤중이었다. 화살은 을불에게 화를 입히려고 덤벼드는 맹수의 목을 꿰뚫고 파르르 깃털을 떨었다. 지금도 그 생각을 하면 을불은 몸이 오싹해졌다. 화살이 눈을 뜨고 맹수를 맞혔으니 망정이지, 화살의 눈이 어두웠다면 도저히 화를 모면할 수가 없었다는 생각이 드는 것이었다.

을불이 성을 뛰어넘어 달빛 속을 걸어 마장으로 가면서도 믿는 것은 화살뿐이었다. 을불이 성을 빠져나와 정치적

---

13 신기(神技): 대단히 뛰어난 기술이나 재주.

망명을 서두르고 있다는 것을 만일 집권한 봉상왕 일파가 눈치챘다면 군사를 매복 시켜 놓았을지도 모르는 일이어서, 감히 마장까지 걸어간다는 것은 모가지를 내팽개치는 것과 다름이 없는 일이었지만, 을불은 자기의 화살이 눈을 뜨고 있고 활이 귀를 사발통같이 환하게 열고 있음을 확신했기 때문에 겁나는 일이 없었다.

마장에서 후르르후르르 말이 울며 굽을 치는 소리가 들려왔다. 성을 되돌아보니 커다란 불기둥이 오르는 모습이 보였다.

돌고는 고추가14로서 백성들 간에 덕망 높은 왕제15였다. 고구려 13대 왕인 서천왕의 차남이었다. 서천왕의 맏이로서 태자였던 상부가 14대 왕이 되자 돌고는 형이 존위16에 오르는 것을 누구보다도 기뻐했고, 형 봉상왕을 보필하여 북방의 오랑캐를 막아내고 안으로는 내정을 원만히 하여 국가의 백년대계17를 닦느라고 밤낮없이 분주했다.

---

14 고추가(古鄒加): 고구려 왕족과 귀족의 칭호. 고추대가라고도 한다.

15 왕제(王弟): 임금의 아우

16 존위(尊位): 예전에, 왕의 지위를 이르던 말.

17 백년대계(百年大計): 먼 앞날을 미리 내다보고 세우는 크고 중요한 계획.

왕권을 둘러싼 형제간의 혈투는 벌써 그전에도 있었다. 서기 197년, 9대 고국천왕이 돌아가자 왕후인 우 씨는 후사18가 없는 것을 핑계로 왕제인 연우와 결탁하여 그를 즉위시키고 계속하여 왕후의 자리에 머물렀던 일이 그 좋은 예에 속한다. 이에 분노한 형 발기가 요동으로 달아나서 태수 공손탁에게 군사 3만 명을 얻어 고구려를 침공하였으니, 이는 형제간의 왕권 투쟁으로 사직의 존폐가 염려되는 지경에 이른 비극이었다.

서기 292년에 서천왕의 뒤를 이어 14대 왕위에 오른 상부는 어려서부터 교만하고 의심이 많고 시기심이 많은 인물이었다.

그는 즉위 원년인 292년 3월에 숙부의 항렬에 있는 안국군 달고를 죽였다. 달고는 서천왕의 아우로서 용맹하고 지략이 있는 사람으로 일찍이 양맥·숙신19을 토벌하여 고구려에 편입시킨 공로를 세워, 서천왕은 그를 안국공으로 삼아 내외병마사를 겸하게 했다. 숙신이 침입해 온 것은 280년

---

18 후사(後嗣): 대를 잇는 자식.
19 숙신(肅愼): 여진·말갈의 전신. 만주(둥베이지구)와 연해주 일대에 살던 퉁구스족.

서천왕 11년 10월의 일이었다. 숙신이 침입하여 고구려 변방에 사는 백성들을 죽이고 약탈을 일삼으므로 왕은 신하들을 모아놓고 적을 능히 섬멸할 수 있는 기모장재[20]를 지닌 장수를 천거하라고 명하였다. 이때 신하들은 모두 왕제 달고를 천거하였다. 달고는 왕명을 받고 적을 토벌하여 단로성을 빼앗아 그 추장을 죽이고 민가 6백여 호를 부여 남쪽의 오천으로 옮기고 동시에 큰 부락 여럿을 항복 받아 이에 예속 시켜 나라의 국토와 호구[21]를 확충하였다.

이렇게 큰 공을 세운 안국군을 죽이자 민심은 이미 봉상왕을 떠났고 백성들은 눈물을 뿌리며 탄식하였다. 봉상왕은 이듬해 9월 또다시 아우 돌고를 죽였다. 아우가 딴마음을 품고 반역을 도모한다는 구실에서였지만 돌고는 형 봉상왕이 왕업[22]을 잘 보존하도록 옆에서 보필할 뿐 딴마음을 먹은 적은 없었다. 오히려 아들 을불에게 무술을 가르치면서도 모든 것을 욕(慾)으로 하지 말고 인(仁)으로 해야 한

---

20 기모장재(奇謀將才): 매우 기묘한 꾀를 갖고 있고, 장수가 될 만한 훌륭한 인재.
21 호구(戶口): 집의 수효와 식구 수.
22 왕업(王業): 임금이 나라를 다스리는 대업(大業). 또는 그런 업적.

다는 것을 가르쳐서 행여나 왕권 투쟁에서 무모한 희생을 당할까 봐 늘 유의하는 인물이었다.

"제가 죽어서 나라가 평화롭게 된다면 한이 없겠나이다."

돌고는 봉상왕 앞에서 무릎을 꿇고 이렇게 말했다.

"변방에서 오랑캐들이 준동을 일삼고 있는 이 마당에, 이 몸에 숨이 붙어 있는 한 나라를 위하여 피를 쏟으려고 했는데, 일이 이 지경에 이르렀으니 죽어서도 선왕[23] 앞에 얼굴을 들지 못하겠나이다."

"더러운 목숨을 연명하려고 하지는 말렷다."

봉상왕은 이렇게 한마디 던지고 옥좌[24]를 뿌리치며 일어서 버렸다. 잠시 후에 땅바닥에 떨어진 돌고의 모가지는 선혈[25]을 뚝뚝 흘리며 펄떡펄떡 뛰었는데 부릅뜬 눈에서는 피눈물 비 오듯 흘렸다.

을불이 아버지의 이러한 참변 소식을 들은 것은 그날 밤 늦게였다. 활터에서 돌아온 을불은 아버지가 왕의 손에

---

23 선왕(先王): ① 선대의 임금. 선군(先君). ② 옛날의 어진 임금.

24 옥좌(玉座): 임금이 앉는 자리. 또는 임금의 지위. 보좌(寶座). 어좌(御座). 왕좌.

25 선혈(鮮血): 생생한 피.

피살되었다는 비보26를 듣고 곧장 궁대27를 다시 집어 들고 밖으로 나가려 했다. 사미 부인이 아들의 소매를 잡았다.

"을불아."

"예."

목이 메어서 더 말이 나오지를 않았다.

"이 어미의 얼굴을 잘 보아라."

사미 부인의 얼굴은 깨끗하고도 평온했다.

"예, 어머니."

"네가 지금 궁내에 들어간다고 해도 아버님의 원한을 갚지 못하느니라. 근위병들이 왕을 겹겹으로 호위하고 있을 것이다. 지난번 안국군이 변을 당할 때 못 보았느냐?"

"허지만 어머님, 제 혼자로도 능히 아버님의 원한을 씻을 수 있겠습니다. 어머님."

"안 되느니라. 그건 아버님의 뜻을 거역하는 것이다."

"너는 산야28로 들어가서 천운29을 기다리며 있거라. 아

---

26 비보(悲報): 슬픈 소식.
27 궁대(弓袋): 활집.
28 산야(山野): 산과 들.

직도 우리 고구려는 사방에서 외적들이 넘보고 있어서 그 국기30가 튼튼치를 못하다. 너는 나라를 위한 길이 무엇인지 잘 생각하여 경거망동이 없도록 하여라."

사미 부인은 이목31이 수려하여 국내성에서 가장 미녀로 이름난 여인이었다. 여자이지만 그 의기32가 남자를 방불케할 만큼 대범한 여장부였다.

을불은 어머니에게 하직을 하고 밖으로 나왔다. 써늘한 야기33가 몸을 파고들었다.

"이것을 몸에 지녀라."

사미 부인은 아들이 홀로 궁대만을 짊어지고 집을 나설 때, 대대로 가전34되어 오는 구리거울을 주면서 처음으로 눈시울을 적셨다.

그 작은 구리거울은 겉으로 보면 보잘것없는 것이지만, 을불 가(家)의 가장 귀중한 보배였다. 마장에 도달하자 을불

---

29 천운(天運): ① 하늘이 정한 운수. 천수. ② 매우 다행스러운 운수.
30 국기(國基): 나라를 이루거나 유지하는 기초.
31 이목(耳目): 귀와 눈. 또는 얼굴의 생김새.
32 의기(意氣): 무엇을 하고자 하는 적극적인 마음이나 장한 기개.
33 야기(夜氣)): 밤의 차고 눅눅한 기운.
34 가전(家傳): 집안에 대대로 전해 내려옴. 또는 그 물건.

의 애마35가 주인을 알아보고 껑충껑충 뛰며 꼬리를 쳤다.

을불은 말을 끌어내어 손바닥으로 궁둥이를 탁 치고 올라탔다. 말의 체온이 가랑이 사이로 전해져 오자 웬일인지 그날따라 애마가 더 정겹게 느껴지는 것이었다.

을불은 성을 한 번 되돌아보고 나서 말을 달렸다. 말은 무슨 영문인지도 모르고 히이힝 하고 울부짖으며 왼쪽으로 지석묘지를 끼고 내달리기 시작했다.

아침 해가 환하게 떠올랐다. 산천은 황금빛으로 타올라 만산홍엽36의 가을 경치는 비할 수 없이 아름다운 모습이었다. 이따금 말발굽 소리에 놀란 산새들이 피르르르 날아오르고 수풀 속에서는 산꿩이 살살 기었다.

한낮이 가까워져 올 무렵이 되어 을불은 무심천에 다다랐다. 압록강의 지류였다. 화살을 던져 물고기를 몇 마리 잡아서 통째로 삼키자 좀 기운이 나는 것 같았다.

"이대로 가면 안 되겠구나."

그는 혼자 중얼거리며 자기가 입고 있는 의복을 쭉 훑어본다. 왕족인 을불의 옷은 비단으로 되어 양어깨에는 금은

---

35 애마(愛馬): 자기가 아끼고 사랑하는 말. 애기(愛騎)
36 만산홍엽(滿山紅葉): 단풍이 들어 온 산이 붉게 물들어 있음

의 견장이 붙어 있었고, 무예를 숭상하기 때문에 머리에는 조우를 꽂았다.

을불은 옷을 벗어서 금은 장식과 조우를 떼어 강물에 집어 던지고 바짓가랑이와 옷소매를 갈기갈기 찢어서 누더기를 만들었다.

"영락없는 노비37가 됐구나."

강물에 비친 자기의 모습을 보며 그는 한숨을 푹 내쉰다. 강물 위에는 형형색색의 가을 나뭇잎이 떠내려오고 그 사이로 살진 물고기가 헤엄을 치고 있었다.

갑자기 상류 쪽에서 왁자지껄하는 소리가 들렸다. 을불은 바위 뒤로 몸을 숨겼다. 일대의 난민들이었다. 노인과 아녀자들이 많고 다리를 절름거리는 청장년들도 몇몇 끼어 있었다.

"어디서 오는 사람들이오?"

을불은 그들을 보고 일어섰다.

"갈매촌에서 온다오."

노인이 한숨을 쉬며 대꾸했다.

---

37 노비(奴婢): 사내종과 계집종. 종. 비복(婢僕).

"다 쑥밭이 됐다오. 한인38들이 쳐들어와서 곡식과 가축을 약탈하고 집을 불태웠소."

"한인이라니요?"

을불은 엉거주춤한 자세로 그들 앞으로 다가갔다. 그들은 부르튼 발을 강물에 담그면서 을불을 올려다본다. 아낙네들은 가슴을 헤치고 젖을 꺼내 어린것에게 물리면서 눈물을 뚝뚝 흘린다.

"젊은이는 고구려 사람이 아니오?"

백발을 쓸어넘기며 노인이 카랑카랑한 목소리로 묻는다. 그 말속에는 반감이 듬뿍 담겨있다.

"어느 한인이라니? 아, 그래, 보아하니 젊은이나 우리나 같은 핏줄인데, 한족39들의 행패도 모른단 말씀이오? 낙랑군에서 나온 놈들이지 누구긴 누구야?"

"궁성40에서는 무얼 하고 있는 거야?"

"궁을 짓는다고 젊은이를 모두 노역41으로 잡아가니까

---

38 한인(漢人): 한족(漢族)에 속하는 사람. 중국인.
39 한:족(漢族): 중국 본토에서 예로부터 살아온 종족.
40 궁성(宮城): ① 궁궐을 둘러싼 성벽. 궁장(宮牆). ② 임금이 거처하는 궁전. 궁궐.
41 노역(勞役): 괴롭고 힘든 노동.

한인들이 쳐들어와도 막아낼 사람이 없는 게 아니겠소?"

을불은 그들이 지껄이는 말을 들으면서 돌팔매로 뒤통수를 얻어맞은 듯한 충격을 받았다.

"임자들은 그래 어디로 가려는 참이오?"

을불은 다시 물었다.

"올 데 갈 데가 없소이다. 가다가 적당한 곳에서 다시 자리를 잡고 자식들이나 키우며 후일을 기약해야지 별도리가 있겠소?"

"엄니, 배고파 죽겠어잉."

"할비, 나 배고파잉."

아이들이 콧물을 흘리며 칭얼대기 시작한다.

"조금만 참아라잉."

을불은 전동에서 화살을 하나 빼어 들고 강물 속을 쿡 찌른다. 그럴 때마다 화살에 물고기가 한 마리씩 찍혀 나온다. 난민들은 을불의 동작을 보면서 눈이 휘둥그레져서 입을 딱 벌린다. 흡사 젓가락으로 반찬 접시에서 생선을 집어올리듯, 강물 속을 헤엄쳐 가는 살아 있는 물고기를 화살로 찍어 내는 것이다.

잠깐 사이에 물고기가 수십 마리 잡혔다. 배가 고프다고 칭얼대던 아이들이 물고기를 날름날름 집어삼키며 한 눈으로는 자기들에게 먹을 것을 준 을불을 곁눈질한다.

"젊은이는 누구요?"

을불에게 반감을 보이던 노인이 태도를 달리하며 묻는다.

"어느 족장42의 노비였는데 그만 어떤 일에 실수를 하고 내쫓기는 몸이 되었소이다."

"……."

"나 역시 정처 없이 떠도는 몸이오이다. 구름 가는 데로 물 흐르는 데로 흘러 흘러가는 거지요."

짐짓 타령조로 이렇게 말했지만 막상 말을 하다 보니까 정말로 제 신세가 처량해져서 기분이 울적해진다. 며칠 전까지만 해도 어엿한 왕족으로서 대망을 키우느라고 무술을 익히며 호연지기를 닦았는데, 이제는 배고파하는 난민들에게 겨우 물고기나 잡아주는 신세가 되었다.

한인들의 행패를 말로만 듣다가 직접 난민들을 만나니 새삼 깨닫는 바가 적지 않았다. 고구려가 건국한 지 이미 3백여 년이 지났지만 아직도 국기가 확고한 것이 아니었

---

42 족장(族長): 일족의 우두머리.

다. 그때까지는 아직 부족 연맹체의 성격을 띠고 있던 고구려는 안으로는 왕권을 둘러싼 분쟁과 밖으로는 외적의 침입에 시달려야 했다.

그중에서도 고구려가 당면한 가장 큰 문제는 한족과의 투쟁이었다. 백제와 신라는 남쪽에 위치해 있어서 한족과는 국지적[43]인 투쟁을 했으나 고구려는 직접 북쪽의 대륙에 자리 잡은 한족들과 늘 정면 대결을 해야 했다. 북쪽뿐만이 아니었다. 남쪽으로는 패수[44] 남쪽에 군치[45]를 둔 낙랑군의 도전도 받아야 했으므로 아래위로 한족에 둘러싸여 나라를 보전하기란 여간 어려운 일이 아니었다.

우리 민족의 터전인 압록강 이북의 대륙과 한반도에 한족이 손을 뻗친 것은 기원전 108년이었다.

고구려의 시조 동명왕이 졸본부여에서 즉위하여 나라를 건국한 것보다 거의 1세기 전의 일이었다.

기원전 108년 위만조선이 멸망하자 한[46]은 그 땅에 사

---

43 국지적(局地的): 일정한 지역에 한정되는 (것).
44 패수(浿水): 대동강. 열수(洌水), 패강(浿江), 왕성강(王城江).
45 군치(郡治): 군(郡)의 행정 사무를 맡아보는 기관이 있는 곳
46 한(漢): 중국의 옛 왕조. 보통 전한(前漢)과 후한(後漢)을 이름.

군47을 설치하여 식민정책을 펴나갔던 것이다. 한은 이미 그보다 20년 앞서서 예48의 땅에 창해군을 설치하였으나 2 년 후에 폐지한 일이 있었다. 이처럼 한의 야욕은 끈질긴 것이었다. 그러나 우리 민족의 반항 또한 끈질긴 것이어서 우리의 고대 국가의 역사는 한족과의 투쟁으로 점철되기에 이르렀던 것이다.

한은 처음에 위만조선의 옛땅에 낙랑·임둔·현도·진 번의 사군을 두었다. 전한 무제 원봉 3년이었으며 기원전 108년의 일이었다. 무제는 조선의 옛 땅에 설치한 사군을 유주49의 관하에 두었으며 군에는 속현50을 두고 태수51와 영52을 두어 다스리게 하였다.

한의 이와 같은 동방 지배정책은 토착 민족의 저항에 쫓 겨 기원전 82년에 진번군을 폐하여 그 일부를 낙랑군에 합 쳐야 했고, 임둔군도 폐하여 현도군에 합쳐야만 했다.

---

47 사군(四郡): 한사군. 한(漢)은 기원전 108-107년 고조선 옛 땅에 낙랑, 진번, 임둔, 현도의 4군 설치하고 관리를 직접 파견해 다스렸다.
48 예(濊): 만주에서 한반도 북동부에 걸쳐 살았던 고대 퉁구스계 민족.
49 유주(幽州): 오늘날 중국의 허베이성(河北省) 일대.
50 속현(屬縣): 큰 고을의 관할에 속해 있던 작은 고을. 속읍(屬邑).
51 태수(太守): 각 고을의 으뜸 벼슬. 지방관(地方官).
52 영(令):고구려 관등의 하나.

또한 몇 년이 못 가서 현도군도 북쪽 요동53으로 군치를 옮긴 것을 보아도 토착민의 반항이 얼마나 치열했던가를 알 수 있다.

이와 같이 고구려의 성장과 발달은 한민족과의 투쟁의 과정에서 이루어지게 되었다. 압록강 중류의 통구 지방의 척박한 산골짜기에서 건국한 고구려는 북으로는 부여, 동북으로는 읍루, 서쪽으로는 한족의 군현들에 둘러싸여 있었다. 특히 한족 군현은 고구려의 발전에 큰 장애가 되었으므로 이러한 장애를 극복 분쇄하는 것은 국기를 다지는 과업과 직결되었다.

고구려가 부족한 양곡이나 생선과 소금 등을 수급하는 방법은 타 부족에 대한 정복과 한족 군현의 격퇴에서 얻는 영토의 확장에 의존해야 했는데, 특히 한의 군현과의 충돌은 피치 못할 일이어서 한의 세력을 몰아내는 것이 국가의 지상 목표였던 것이다.

을불은 왕족으로 태어나서 성안에서 태평하게 자랐으므로 막연히 한민족의 수탈을 들었을 뿐 그것을 직접 경험한

---

53 요동(遼東): 고대 중국의 왕조들이 랴오닝성(遼寧省) 동부에 설치한 행정구역.

일은 없었다. 강가에서 난민들을 우연히 만나 자초지종을 들으니 새삼 가슴속의 피가 역류하는 듯한 분개심을 억누를 길이 없다.

난민들과 작별을 할 때, 백발이 성성한 노인은 물고기를 잘 먹었다고 말하고 나서,

"젊은이는 아무리 봐도 노비 신분은 아닌 것 같소이다. 무슨 곡절이 있는 모양이나 더 묻지는 않겠소이다. 부디 우리 같은 천생54들을 위하여 큰일을 하여 주오."

하며 고개를 숙였다.

을불은 그들과 헤어져서 강을 거슬러 서북쪽으로 올라갔다. 앞을 가로막는 맹수의 울음소리에 놀라 말이 껑중껑중 뛴다. 첩첩산중이었다. 높은 산에서는 바윗돌이 와르르와르르 굴러 내리고 산은 제 혼자 숨을 쉬느라고 찌르렁찌르렁거린다.

이로부터 며칠 후 무심천 상류에 위치한 수실촌에 나타난 을불은 말도 활도 없는 홀몸으로 누더기가 된 옷을 입고 있었다. 허리춤에 남모르게 찬 구리거울만이 있을 뿐 아무

---

54 천생(賤生): 주로 남자가, '자신(自身)'을 낮추어 이르는 말.

것도 가진 게 없었다.

수실촌으로 들어온 을불은 이러한 벽촌이면 능히 몸을 숨겨도 안전하리라는 생각에서 음모네 집에 머슴으로 들어갔다. 음모는 그 동네에서 제법 거드럭거리고 살면서 하인을 여럿 거느리고 있었다. 을불은 아무런 조건도 없이 머슴으로 들어가서 시키는 대로 열심히 일을 하였다.

몇 달이 지났다. 날이 갈수록 음모는 을불을 심하게 부려 먹었다. 하다못해 나중에는 집 옆에 있는 초택55에서 우는 개구리를 울지 못하게 하라고까지 했다.

개골개골하고 개구리가 울면 잠이 오지 않던 음모는 을불이 바보처럼 시키는 일을 고분고분 잘하는 것을 보고 마침내 개구리울음을 그치게 하는 일을 시킬 궁리가 났던 것이다.

낮에는 산에 가서 나무를 하고 또 가축을 돌보며 농사일을 하고 밤이 되면 연못가에 지켜 서서 개구리가 못 울도록 하자니 여간 고역이 아니었지만 을불은 잘 참아냈다.

"뭘 하는 거야! 빨리빨리 돌을 던져라!"

---

55 초택(草澤): ①물이 질퍽하게 고인 못. ② 민간이나 재야. ③ 초원과 수택.

잠깐 딴생각이라도 나서 돌을 늦게 던지면 개구리가 또 울어 댔고, 그럴 때면 집안에서 음모가 호령호령하는 것이다. 쉴 새 없이 돌을 던지자니 팔도 아프려니와 싫증도 났다.

"옳구나!"

을불은 마침내 좋은 생각이 떠올라 무릎을 쳤다.

"한 놈씩 한 놈씩 잡아 버려야겠다. 아주 씨를 없애야지."

을불은 엉덩이가 다 삐져나오는 바지를 추켜올리고 작은 돌멩이를 연못가에 수북하게 모아놓고 개구리를 향하여 정확하게 던졌다.

처음에는 어림도 없던 것이 며칠 밤 계속하자, 손을 떠난 돌멩이가 스스로 눈을 뜨고 개구리를 찾아가서 명중시키기 시작했다.

밤에 활 쏘는 연습을 할 때처럼 을불은 인내와 믿음을 가지고 돌멩이를 던진 것이지 어두운 밤에 조준을 할 수는 없는 일이었다. 그러나 돌멩이는 눈을 뜨고 날아가서 개구리를 맞히었다. 아침이 되면 연못 위에는 죽어 자빠진 개구리들이 허옇게 떠올랐다. 그러나 개구리는 숲속에서 계속하여 연못으로 첨벙첨벙 뛰어들었다.

'미물56을 죽이지 말아야겠구나.'

을불이 며칠 후에 이런 생각이 떠올라 다시 돌멩이를 물속으로 던지기만 했다. 돌 던지는 을불의 마음을 알아차린 돌멩이는 개구리를 맞히지 않고 그냥 물속으로 가라앉았다.

그러던 어느 날 밤이었다. 을불은 온종일 폭양 아래 농사일을 해서 저녁이 되자마자 잠이 퍼부었다. 연못가로 나온 을불은 돌을 던지다가 그만 잠이 들었다.

꿈속에서 어머니 사미 부인이 나타나 눈물을 죽죽 흘리며 을불의 손을 마주 잡았다. 을불은 어머니 앞에 무릎을 꿇다가 그만 돌에 정강이가 부딪쳐서 깜짝 놀라 깨어보니 꿈이었다.

사방은 조용한 채 여름밤 하늘에서 쏟아지는 별들만이 연못 위에서 아름다운 보석처럼 빛나고 있었다. 연못에는 돌멩이 떨어지는 소리가 들렸다. 을불은 한동안 꿈속에서 만난 어머니 생각에 휩싸여 있다가 비로소 정신을 차리고 벌떡 일어섰다.

"아니? 누가 돌을 던지지 않나?"

속으로 중얼거리며 사방을 둘러보다가 조금 떨어진 바위

---

56 미물(微物): 인간에 비해 작고 보잘것없는 것이라는 뜻으로, 동물을 이르는 말.

위에 앉은 사람을 발견했다. 별빛이 부서져 내리며 연못 위에 빛났다.

"고단하신 모양이온데 잠을 청하지 않으시고……."

바위 위에 앉은 사람은 을불이 다가가자 이렇게 말했다. 여자의 목소리였다.

"개구리를 울지 않게 하는 일은 제가 주인한테서 받은 분부인데 낭자는 어떻게 여기 오셨소?"

"저는 고리의 자식으로 유라라고 합니다. 도령께서 늘 나무하러 다니는 것을 보고, 남의 집 머슴살이할 분이 아닌데 무슨 곡절이 있나 보다고 생각했지요."

"……."

유라는 한 손으로 돌을 던지며 말을 이었다.

"며칠 전 제 오라비한테서 도령이 밤마다 연못가에 나와서 돌멩이를 던지느라고 한잠도 못 잔다는 얘기를 들었답니다. 마침 오늘 저녁에 나와 보니, 잠이 드셨길래 제가 대신 개구리를 울지 않게 했던 거예요. 그렇지 않으면 음모가 도령의 잠을 훼방할 것이니까요."

"고맙소이다. 나는 소생이 미천하여 남의 집 머슴으로 목숨을 이어가는 팔자, 오늘 밤 낭자의 따뜻한 은혜를 입었으나 보답할 길이 막막하오이다."

을불의 가슴속에서는 뜨거운 것이 치솟아 왔다. 새벽녘이 돼 가고 있었다. 무덥던 날씨도 새벽의 신선한 공기로 변하고 있었다.

그 후에도 을불과 유라는 밤이 되면 연못가에서 만났다. 유라가 대신 연못에 돌을 던지는 시간을 틈내어 을불은 잠을 잤다. 과로와 수면 부족에 시달리던 을불은 차츰 기운을 회복해 갔다.

어느 날 밤이었다.

"궁성에서는 난리가 났대요."

유라가 느닷없이 이런 말을 하는 것이었다.

"난리라니요?"

을불은 귀가 번쩍 띄었다. 무엇보다도 어머니의 소식이 궁금했지만 누구에게 물어볼 수도 없는 처지였다.

"왕이 또 충신들을 많이 죽였답니다. 지난번에는 안국공과 돌고 어른을 죽이고 이번에도 충신과 장수들을 죽여 없앴다지 뭡니까?"

"음. 나라의 장래가 위태롭소이다."

"돌고 어른의 아들이 민가로 도망을 쳤다는군요! 군사를 시켜서 그 아들을 찾고 있답니다. 사미 부인도 위험을 피해서 궁 밖으로 도망을 했답니다. 왕은 혈안이 되어 그 모자를 찾고 있답니다."

"사미 부인이라면 바로 고추가 어른의 부인 말입니까?"

을불은 펄떡펄떡 뛰는 가슴을 간신히 진정하며 짐짓 물어보았다.

"그렇지요."

을불은 하늘을 쳐다보았다. 무심한 달은 서편으로 기울어 환하게 빛나고 있었다. 저 달 아래 어딘가에 어머니가 계시다는 생각을 하자 을불은 눈에서 눈물이 핑 돌았다. 허리춤에 찬 구리거울을 지그시 눌러 보았다.

"모용외가 또 침입을 해서 궁궐은 더 난리가 났대요. 고국원에 이르러 선왕의 능묘57를 파헤쳤답니다."

선왕은 서천왕으로 바로 을불의 할아버지였다.

을불이 궁을 떠나던 해 8월에도 모용외가 침입했었다. 모용외는 오호 선비족58의 하나로 연(燕)의 주인이었는데 늘 고구려의 땅을 넘나들며 약탈을 일삼아 왔었다. 그때는 신성태수인 소형59 고노자가 이를 격파했었다.

---

57 능묘(陵墓): ① 능과 묘. ② 능(陵).

58 오호 선비족(五胡鮮卑族): 서북방에서 중국 본토로 이주한 다섯 민족. 흉노(匈奴), 갈(羯), 선비(鮮卑), 저(氐), 강(羌).

"한의 군현60들도 자주 고구려를 침범해서 백성을 잡아
간다니, 왕정이 문란하면 나라를 잃게 될 것인데도 왕은 왕
족과 충신을 몰살하니, 저 같은 계집의 소견으로도 참 답답
한 일이 아닐 수 없습니다."

유라는 시골의 평범한 계집이 아니었다. 수실촌의 촌장
인 고리는 원래 부족장의 후손으로, 지략이 있고 용맹스러
워서 딸자식에게도 무술을 가르치며 나라의 소식을 전해
주고 함께 근심을 하는 비범한 인물이었다.

"그대에게 보답하는 뜻에서 이 작은 거울을 드리리다."

을불은 허리춤에서 구리거울을 꺼내어 유라에게 주었다.
어머니가 살아 계신다는 이야기를 들려준 그녀에게 거울을
주고 싶은 충동이 갑자기 일어났던 것이다. 나라에서 군사
를 풀어 을불 모자를 찾는다는데, 이런 거울을 지니고 있다
가 발각되면 영락없이 왕족임이 탄로가 날 것이었다. 그러
나 을불이 거울을 그녀에게 주려고 한 것은 이러한 타산에
서만이 결코 아니었다. 처음 그녀가 몰래 연못가에 이르러
자기가 잠이 든 동안 돌멩이를 연못에 던지는 것을 알던 때

---

59 소형(小兄): 고구려 관등의 하나.
60 군현(郡縣): 군읍(郡邑).

부터 혈육에 대한 정 같은 것을 느껴 왔던 것이다. 아니 이
것은 이성에 대한 사랑의 개안[61]인지도 모른다.

"먼 훗날 그대를 다시 찾아올 때 그 거울을 신표[62]로써
서로를 확인하기로 합시다."

유라는 거울을 받아들고 을불의 가슴에 얼굴을 묻는다.
불덩이처럼 뜨거운 체온이 전해져 온다.

"도령께서는 어디로 가시려고 하나이까?"

"나는 집도 부모도 없는 나그네, 발 닿는 곳으로 떠돌면
서 목숨이나 부지하는 게지요."

"이 마을에서 아주 떠나시려고 하는 겁니까?"

"그렇소이다. 유라, 그대를 평생 잊지 않으리다."

을불은 어서 이 동네를 떠나 어머니를 찾아가고 싶었다.
혼자서 어떻게 피신을 하고 계신지 궁금한 마음은 시간이
흐를수록 더해 왔다.

유라는 이별을 아쉬워하며 흐느끼다가 머리에서 작은 은
잠(銀簪)을 빼어 을불에게 건네주며 말한다.

---

61 개안(開眼): 사물 또는 진리에 대하여 깨닫거나 새로운 의식을 갖는 것을 비유
  적으로 이르는 말.
62 신표(信標): 뒷날에 보고 서로 알아보기 위해서 주고받는 물건. 신물(信物).

"소저도 평생 잊지 않으리요. 어서 화를 피하여 안전한 곳으로 가시기 바라나이다."

입 밖으로 내지는 않지만 유라는 을불의 신분을 눈치챈 것 같기도 하였다. 그가 왕족이라는 것까지는 모른다 해도 무슨 곡절로 말미암아 일부러 신분을 감추고 머슴살이로 전전하는 사람임을 알고 있나 보았다.

을불은 마지막으로 유라를 부둥켜안고 그 이마에 입술을 댔다. 이대로 온 우주의 시간이 정지해 버렸으면 싶었다.

"제 말을 타고 가십시오. 숲속에 있습니다."

유라가 내준 말을 타고 을불은 그날 먼동이 틀 때 수실촌을 빠져나갔다. 1년 만에 떠나는 마을이었지만 섭섭한 생각이 들어서 마을 어귀를 지나면서 뒤를 몇 번인가 되돌아보았다. 음모네 연못가에는 안개가 덮여 있어서 유라의 모습은 보이지 않았으나, 거기에 그대로 서 있을 그녀의 모습이 눈에 선했다.

'아내로 맞아도 좋은 여자다.'

이런 생각을 하며 말을 몰아 순식간에 무심천 강변까지 내달았다.

"어디로 가야 어머니를 만날 수 있을까? 어딘가에 살아 계시면 만날 날이 있겠지. 어머니를 모시고 일개 범부(凡夫)

로 평생을 지내야겠다. 부귀영화도 다 싫다.”

을불은 이틀 후 저녁때가 되어 동촌(東村)에 이르렀다. 동
촌은 압록강의 강안(江岸)에 자리 잡은 마을로 농업과 어업
에 종사하는 주민들이 많아서 수실촌보다는 훨씬 개방적이
고 호구도 많았다.

행인을 붙들고 이말 저말 끝에 궁궐 소식을 물어보니까
혀를 끌끌 차며 한다는 소리가,

“을불 모자를 잡아다 바치면 상금을 두둑하게 준다고 하
지만, 어느 시러베아들 놈이 그따위 짓을 하겠느냐 말이
오?”

하며 침을 퉤퉤 뱉는다.

“우리 동촌은 벌써부터 자위대(自衛隊)를 조직하여 북쪽
의 현도군의 공격을 막아내고 있소이다. 나라에서 국토를
방위할 생각을 하지 않고 다툼만 하니 우리 땅은 우리 손으
로 지켜야지 어떻게 하리까?”

그의 이름은 재모라고 했다. 두 눈이 두리두리한 게 힘깨
나 쓰는 장정으로 보였다. 그는 직업이 행상이라 했다. 철
따라 옷감도 팔러 다니고 소금도 팔러 다닌다고 했다.

어머니를 찾으려면 한 마을에 머물러 있는 것보다 이러
한 장사꾼을 따라 여기저기 나돌아 다니는 게 좋을 것 같아

서, 을불은 재모에게 함께 장사를 하자고 말했다. 그는 을불의 아래위를 살펴보더니 이내 승낙했다.

유라가 내준 말을 끌고 가서 소금과 바꾸어서 장사 밑천을 삼았다. 성을 나온 지 4년째가 된 을불은 이제는 왕족의 신분을 스스로 숨기려고 애쓸 필요도 없었다. 누가 보나 을불은 천민 태생의 장사꾼이요 농민이었지, 그가 왕족이라든가 무서운 활 솜씨를 가지고 있는 무사라고는 짐작도 할 수 없었다.

재모와 더불어 소금 짐을 지고 압록강을 거슬러 올라가며 장사를 하기도 하고 하류 쪽으로 내려가서 장사를 하기도 하면서 몇 달을 보냈으나 어머니의 소식은 알 길이 없었다. 톡 까놓고 아무에게나 들어 볼 수도 없는 일이었다.

"여보게 재모. 우리 이렇게 땀 흘리고 소금 장사만 할 게 아니라, 거 왜, 을불이라든가 뭔가 하는 작자의 모자를 잡아 보는 게 어떤가?"

을불은 어느 날 소금 짐을 내려놓고 쉬면서 이렇게 말해 보았다. 그 말을 듣고 재모는 벌떡 일어서더니 침을 탁 뱉었다.

"자네는 상당히 교활하군. 의(義)가 아니면 행하지 않는 것이 고구려인의 기상이거늘 하물며 왕족의 목숨을 해하려

들다니, 자네 같은 인물과는 상종할 수가 없네그려."

을불은 내심으로는 말할 수 없이 기쁘면서도, 당장 자기를 뿌리치고 가 버리려는 재모 앞에서 우선 용서를 비는 수밖에 없었다.

"자네 마음을 떠보려고 한 말이네. 너무 화내지 말게나."

어느 마을에 이르니 무술대회가 열리고 있었다. 재모의 말에 의하면 이 동네는 호구는 적지만 산세63와 지맥64이 좋아서 대대로 장수가 많이 나는 고장이라고 한다.

"고노자 장군도 여기 태생이고 조불 장수도 여기 태생이라네."

그들은 소금 짐을 진 채로 어슬렁어슬렁 무술대회장으로 들어갔다. 말타기가 끝나고 궁술 시합이 열리고 있었다. 오랜만에 활을 보니 을불은 감개무량했다. 하지만 마음 놓고 활을 쏠 수 없는 그였다.

재모와 더불어 구경꾼 속에 섞여 궁술대회를 참관하였다. 아직 소년티를 못 벗어난 궁수들도 있고 노인네도 있고 여자들도 있었다. 그리고 보니, 기백이 넘치는 사내 궁수들

---

63 산세(山勢): 산의 모양.
64 지맥(地脈): 풍수지리설에서, 땅속의 기가 순환한다는 줄기나 갈래.

은 보이지가 않았다.

"이상하군그려?"

"청년들은 모두 변방으로 병역을 하러 갔거나 궁중으로 노역을 하러 간 거라네."

"무술대회는 시시하겠군."

"그래도 우리 장사꾼보다야 잘하지 않나? 일단 유사시에는 노인이고 아녀자고 할 것 없이 모두 병기를 들고 마을을 지킬 수 있거든."

활쏘기는 한참 고조돼 가고 있었다. 과녁을 빗나가면 구경꾼들이 먼저 한숨을 토하고, 명중하면 손뼉을 치면서 함성을 올렸다.

구경꾼들도 모두 칼을 차고 궁대를 메고 있다가 희망자는 앞으로 나가서 활을 쏠 수 있었다. 을불은 너무 오래 활을 쏘지 않아서 자기의 솜씨가 녹슬지 않았을까 하는 의심이 드는 것이었다. 생각 같으면 당장 활을 빌려서 한바탕 시위를 당겨 보고도 싶었지만 그럴 수가 없었다. 만일 섣불리 솜씨를 보였다가 자기 신분이 탄로 나거나 의심을 받으면 안 될 일이었다. 궁수들의 솜씨를 보면 그것은 무슨 시합이라기보다는 친목회 같았다. 어떤 노인은 시위를 당기다가 줄이 끊어지기도 했다.

이때 갑자기 을불이 있는 쪽으로 빗나간 화살이 날아왔다. 구경꾼들은 놀라 어쩔 줄을 모른 채 허둥지둥했다. 을불은 한 손을 가볍게 들어 잘못 날아오는 화살을 잡아 과녁 쪽으로 휙 되던졌다. 순식간의 일이었다. 을불이 휙 던진 화살은 과녁에 명중하여 푸르르 떨고 있었다.

"와!"

구경꾼들이 함성을 질렀다. 날아오는 화살을 손으로 잡는다는 것도 보통 일이 아닌데 던져서 과녁을 명중시키다니 이것은 사람의 솜씨가 아니라 신기였다.

을불은 아차 하는 생각이 들자마자 얼른 몸을 피하여 무술대회장 밖으로 나와 허겁지겁 강나루로 나갔다. 뒤쫓아 나온 재모가 숨을 헐떡이면서 따라왔다.

"어떻게 된 거야? 자네 솜씨가 귀신같던데 도무지 어찌 된 영문인가 말 좀 해 보게나."

"나도 모르겠네. 나도 모르는 사이에 그만 그런 짓을 했네."

재모는 어깨를 툭 치면서 말했다.

"나한테야 숨길 게 뭐 있나? 자네는 지금 신분을 숨기고 숨어 사는 게 아닌가? 대관절 무슨 곡절인가 알아봄세."

을불은 아무런 대꾸도 할 수가 없었다. 내가 왕손65인 줄 알면 재모는 어떻게 나올 것인가. 물론 재모는 나를 팔아넘길 리는 없다. 그렇다고 신분을 밝힐 수도 없는 일이 아닌가.

"더 묻지 말게나. 나는 자네와 꼭 같은 소금 장수네그려."

"고집이 대단하군."

그들은 부랴부랴 소금짐을 배에 싣고 나루를 떠나야 했다. 무술대회에서 을불이 화살을 손으로 잡아 과녁에 맞히었기 때문에 우물쭈물하다가는 공연히 관가에 잡혀가서 이러쿵저러쿵 꼬치꼬치 시달릴지도 모르는 일이었다.

"젊은이들, 잠깐만 기다리시오!"

늙수그레한 남자가 급히 뛰어오며 소리쳤다.

"시끄럽게 될 모양이네."

"아무튼 미안허이. 괜히 장사만 미제가 났네그려."

숨을 헐떡이며 쫓아온 남자는 을불과 재모 앞에 가까이 와서 무릎을 꿇고 절을 하며,

"분부를 받고 왔습니다. 젊은이가 혹시 구리거울을 가지고 있는 분인지 알아 오라는 분부가 내렸습니다."

---

65 왕손(王孫): 임금의 손자 또는 후손.

하며 두 사람을 번갈아 가며 아래위를 훑어본다.

"구리거울이라니요?"

재모가 한마디 불쑥한다. 을불은 바로 짚이는 데가 있어서,

"누구의 분부요?"

하고 묻는다.

"그것은 밝힐 수 없습니다. 목에 칼이 들어와도."

"여보게, 잠깐 다녀와야겠네. 아주 중대한 문제네그려."

을불이 소금 짐을 벗어 놓고 나서 재모에게 말했다. 재모
는 눈이 똥그래져서 입만 딱 벌린다.

"갑시다. 그런 분부를 내린 분이 누군지 만나봐야 하겠소."

구리거울은 왕족들만이 가질 수 있는 보물이었다. 구리
거울을 가지고 있느냐는 이야기는 왕손이냐고 묻는 것과
마찬가지이다. 혹시 어머니 사미 부인이 아닐까. 무술대회
에서 화살을 던져 과녁을 맞힌 젊은이가 있었다는 말을 듣
고, 사미 부인이 하인을 시켜 자기를 찾는 것은 아닐까.

그 남자를 따라서 을불이 당도한 곳은 마을 뒤쪽의 산
협[66]이었다. 마을 앞으로는 강이 흐르고 그 뒤쪽으로는 깎

---

66 산협(山峽) : ① 깊은 산속의 골짜기. ② 두메.

아지른 듯한 장백산의 준령이 막아 내리고 있었다.

"젊은이를 모시고 왔나이다."

그는 풀잎으로 지붕을 엮은 낡은 집 앞에 이르러 말했다. 해가 막 서산을 넘어가는 석양 무렵이었다. 을불은 떨리는 마음을 애써서 진정하면서 기다리고 있었다.

"을불이냐?"

안에서 한참 만에 대꾸했다. 사미 부인의 목소리에 틀림이 없었다.

"예."

을불은 다만 이 말밖에는 할 수가 없었다. 국내성을 떠난 지 5년 만에 듣는 어머니의 음성이었다.

"어찌하여 경거망동[67]을 하는고? 이 늙은 어미는 오늘까지 너 하나만을 믿고 목숨을 부지하고 있는데 손끝의 재주만 믿고 가볍게 처신하다니 심히 실망할 만하도다."

"어머님!"

감정에 복받쳐 목소리가 떨려 나오는 것은 을불이었고, 사미 부인은 냉엄한 자세를 흐트러뜨리지 않았다. 아버지

---

67 경거망동(輕擧妄動): 경솔하여 생각 없이 망령되게 행동함.

돌고처럼 전혀 감정을 나타내지 않고 아들을 나무라고 있었다. 5년 만에 아들의 목소리를 듣는 어미로서 왜 모정[68]의 흐느낌이 없겠는가.

그러나 사미 부인은 집 안에 앉아 쩌렁쩌렁하게 말만 할 뿐 밖으로 그 모습을 드러내지 않았다. 을불도 안으로 들어가 어머니를 뵙고 그 무릎 아래에 엎드리고 싶었지만 참을 수밖에 없었다.

"한 나라와 가문의 장래가 너의 두 어깨에 걸려 있지 않는고? 자중하여 오늘의 신고(辛苦)를 이겨 나가야 되느니라."

"예, 어머님."

"어미 걱정은 말고 너 갈 길을 어서 가 보도록 하여라."

"하오나……"

"무얼 꾸물거리느냐. 관가에서 너를 노리고 있는 걸 모르는고? 어미도 오늘 밤에 다른 곳으로 떠날 것이니라."

"예, 어머님."

을불은 어머니의 음성이 들려 나오는 곳을 향하여 큰절

---

68 모정(母情): 자식에 대한 어머니의 정.

을 하고 몸을 돌렸다. 을불을 인도해 왔던 남자는 올 때와
는 딴판으로 공손한 태도로 전송을 했다.

"어머님을 잘 부탁하오."

"예. 걱정 마시옵고 공자께서나 몸조심하시옵소서."

어머니와의 덧없는 상봉은 이것으로 끝났다. 그동안 고
난과 좌절 속에서 헤매며 하늘을 우러러 탄식만 하던 을불
에게는 다시금 기운이 샘솟기 시작했다.

그렇다. 어머니의 말씀과 같이 나라와 가문의 운명이 내
어깨에 걸려 있다. 목숨을 연명하기 위해서만 신분을 감추
는 것이 아니라 이제부터는 좀 더 적극적인 자세로 민심을
파악하고 나라를 위하여 할 일이 무엇인지 생각해 봐야 하
겠다.

을불은 강나루까지 오는 동안에 이런 생각에 골몰하였
다. 호의호식하던 생활에서 갑자기 천민들과 함께 생활하
게 된 을불은 지난 5년간 많은 것을 배웠다. 일반 백성들이
생존을 위하여 얼마나 많은 고생을 한다는 것도 알았고, 무
명의 백성일수록 애국애족의 정신이 투철하다는 것도 알게
되었다.

다시 소금 장사를 하게 된 을불은 어머니를 만나기 전보
다 뚜렷이 달라진 데가 있었다. 북방의 여러 마을은 한족의

침략으로 퇴폐해져서 어디를 가나 난민들이 많았다. 그들은 한결같이 지도자를 물색하고 있었다.

"이들을 규합하여 변방의 안정을 기해야 되지 않을까?"

이런 생각이 들어 재모에게 의논을 하자 그는 좀 더 때를 기다려 보자고 말했다.

"궁성에서 알면 모반을 한다고 오히려 못마땅해 할 것이오."

재모는 한낱 상인이었지만 비범한 구석이 있었다. 궁을 떠나서 처음으로 자기의 신분을 밝힌 것은 오로지 재모에게 뿐이었다. 그다음부터 재모는 을불을 동업하는 상인으로 보지 않고 미래의 지도자를 벗 삼고 있다는 데 대한 만족감을 가지고 상대해 주었다.

강동 사수촌에서의 일이었다. 압록강 연안에 있는 사수촌은 교통이 편리하여 여러 부족의 상인이 많이 모여드는 곳이었다. 서로의 특산물을 가지고 와서 물물교환[69]을 하는 거래처였다. 사람이 많이 모이는 곳이어서 민심도 알아볼 겸 그간의 궁성 소식도 들을 겸해서 소금을 민가에 맡겨 두

---

69 물물교환(物物交換): 교환의 원시적 형태로, 물건과 물건을 직접 바꾸는 일.

고 거리로 나왔다.

어느덧 궁을 떠난 지 6년이 흘렀다. 계절은 바뀌어 을불의 나이도 스무 살이 넘었다.

왕은 궁성을 다시 짓고 술과 계집에 빠져 즉위한 지 7년이 지난 백성들의 생활은 기아와 곤궁에 시달리고, 웬일인지 농사철이 되어도 비가 오지 않고 산속에서는 짐승들이 해마다 줄어들고, 강의 물고기도 잡히지 않았다.

"지난달에도 왕께 간하다가 충신이 그 자리에서 죽음을 받았다네."

거리에서 만난 늙은이가 한숨을 쉬었다.

"젊은이는 모두 궁성으로 노역을 가고 변방을 지킬 사람이 없어서, 오랑캐와 한인들이 번갈아 가며 노략질을 일삼고 있다오. 젊은 여자들을 모두 붙잡아 간다오. 참 큰일이오. 큰일."

여자란 그 당시의 국가 발전에서 자못 중대한 의미를 지닌다. 무엇보다도 가장 중요한 것은 인구이다. 국력의 강약은 인구의 많고 적음에서 비롯되는 것이어서 아이를 낳을 수 있는 젊은 여자들을 이민족이 잡아간다는 것은 매우 중대한 문제였던 것이다. 종족이 번식을 하지 못하면 자연 도태되게 마련이다.

"창조리가 대주부[70]가 되었으니 왕정도 좀 나아지겠지만 아무튼 이대로 가다가는 한족한테 다 먹혀 버릴 것이오."

창조리는 남부의 대사자[71]였는데 국상[72] 상루가 죽자 국상이 된 인물이다. 그 당시의 고구려는 다섯 부로 나누어져 있었다. 동(東)·서(西)·남(南)·북(北)·중(中)이 그것인데 각 부마다 대사자를 두었고, 그 가운데는 각 부족의 장(長) 형(兄)이 있어서 백성들을 이끌어 나가고 중앙의 행정에도 참여하였다.

참담한 심정이 되어 거리에서 돌아온 을불에게 재모는 껄껄 웃으며 말했다.

"사수촌에서 형(兄) 노릇을 하고 싶겠지만 참으시오. 내 오늘 천기를 보니 공자의 신상에 무슨 변화가 일어나겠소이다."

생각 같아서는 어미를 잃은 어린 짐승 같은 백성들을 위하여 당장 세력을 모아 보고 싶었다.

"젊은이, 소금 좀 주지 않겠나? 아들이 노역을 나가서 소

---

70 대주부(大主簿): 고구려 시대 왕명출납(王命出納) 등의 행정업무를 맡은 관명.
71 대사자(大使者): 고구려 시대의 관명.
72 국상(國相): 고구려 시대의 최고 관직.

금이 떨어져서 속수무책이야."

소금 짐을 맡겼던 민가의 노파가 허리를 구부리고 말했다.

"드리고말고요."

을불은 소금을 푹푹 떠서 노파에게 주었다. 뼈만 남은 앙상한 손은 검은 반점으로 뒤덮여 있었다.

"좀 더 주지 않겠나? 이것 가지고는 어림도 없어."

좀 더 주었다.

"이것 가지고는 안 되겠네. 조금 더 주지 않겠나……."

노파는 막무가내로 손을 벌렸다. 재모가 보다 못해서 소금 짐을 가로채고 퉁명스럽게 내뱉았다.

"노파도 망령이지, 우리는 어떻게 하라구 소금을 거저 다 뺏으려는 게요?"

노파는 이에 원한을 품고 몰래 자기의 신발을 소금가마니 속에 감추어 놓고 이들이 짐을 지고 떠나자 뒤따라와서 압록 태수에게 을불이 신발을 훔쳐 갔다고 신고를 했다.

위로는 왕을 믿을 수 없고 아래로는 이웃을 믿을 수 없는 불신 풍조가 극에 달해 있었다. 노파의 이와 같은 행동에 분함을 금치 못하면서도 한편으로는 이러한 노파가 불쌍하다는 생각이 들었다.

소금가마니 속에서 노파의 신발이 나오자 영락없이 도둑

누명을 쓴 을불은 한 마디도 변명하지 않았다. 태수는 소금을 빼앗아 노파에게 주고 을불과 재모한테 태형73을 가한 다음 내보냈다.

"자네 말이 맞네. 천기가 이상하여 내 몸에 변화가 일어난다고 하더니 볼기짝이 맷방석처럼 부풀어 올랐으니 말일세. 허허."

을불과 재모는 소금을 다 뺏기고 나오며 껄껄 웃었다.

이로부터 이들은 문전걸식74을 하며 떠돌아다녔다. 옷은 남루해질 대로 남루해져서 누가 보아도 가련한 거지에 불과했다. 하지만 이들의 마음속에는 웅지75가 불타고 있었다. 재모도 알고 보니 그의 조상은 부족의 대형76을 지낸 가문에서 태어났지만, 한의 군현이 침범하여 일가를 몰살하는 바람에 천애 고아가 된 사람이었다.

"유라 낭자가 보고 싶지 않소이까?"

어느새 재모의 말씨도 공경어로 변하고 있었다. 밤이 되

---

73 태형(笞刑): 오형(五刑)의 하나. 태장으로 볼기를 치던 형벌.
74 문전걸식(門前乞食): 이 집 저 집 돌아다니며 빌어먹음.
75 웅지(雄志): 웅대한 뜻. 큰 뜻. 장지(壯志).
76 대형(大兄): 고구려 시대 오품관의 벼슬.

면 숲속으로 들어가서 두 사람은 무술을 연마하였다. 투석77을 해서 화살만큼 정확하게 목표물을 명중시키는 연습을 하다가 재모는 유라 낭자의 이야기를 곧잘 물었다.

그럴 때면 을불은 그녀가 준 은잠을 품에서 꺼내 보곤 했다. 구리거울과 바꾼 신표였다. 하루빨리 수실촌으로 돌아가 유라를 만나고 싶은 마음이야 굴뚝같았지만 대를 위하여 소를 참아야만 했다.

---

77 투석(投石): 돌을 던짐. 또는 그 돌.

2. 사람의 목숨은 하늘의 뜻에 달려 있다

을불이 모진 고생을 하면서도 웅지를 가다듬으며 산야에 숨은 지 8년이 지났다. 그해는 막심한 흉년이 들었다. 5월에 우박이 내리고 6월에는 눈이 와서 모든 곡물이 논밭에서 그대로 얼어 죽었다.

백성들은 굶주림에 시달려 서로를 잡아먹기에 이르렀다. 죽어 나가는 시체는 들판에 버려져서 독수리의 밥이 되고, 살아 있는 사람들도 눈까풀만 남아서 꼭 유령 같은 꼴을 한 채 눈을 들어 하늘을 원망했다. 대낮에도 벼락이 떨어지고 밤중이면 맹수들이 사람 냄새를 쫓아 인가로 내려왔다. 사람과 짐승이 서로 믿고 공생하던 때는 지나고 이제 사람과 짐승, 인간과 대자연이 서로 반목하고 불신하기에 이르렀다.

봉상왕 9년, 서기 300년은 정월부터 대자연의 운행이 이상해지고 있었다. 정월에 지진이 일어나서 증축했던 궁성이 무너지고 수많은 궁녀가 깔려 죽는 참변이 일어났다.

2월부터 7월에 이르기까지 비가 한 방울도 내리지 않아서 산천초목1도 다 고사2하고 식량이 떨어진 백성들은 초근목피3로 연명하다가 그나마 풀이나 나무도 다 죽으니 더 이상 목숨을 부지할 수 없게 되었다.

8월이 되었다. 왕은 천재지변4은 아랑곳하지 않고 폭정을 일삼았다. 열다섯 살 이상 되는 남녀는 징집하여 무너진 궁궐을 다시 짓는 무모한 역사를 하였지만 백성들은 도망하기에 바빴다. 이에 국상 창조리는 왕의 앞에 나아가 피눈물을 뿌리며 간하였다.

"천재5가 연달아 일어나서 흉년이 들어 백성들은 살 곳을 잃고 장정들은 사방으로 흩어지니 남아 있는 늙은이와 어린것들은 구렁에서 뒹굴고 있나이다. 지금이야말로 하늘을 두려워하고 백성들을 근심할 때가 되었나이다. 대왕께서는 일찍이 이것을 생각하지 아니하고 굶주림에 허덕이는 백성을 부려 목석지역6에 시달리게 하시니, 이는 심히 백성

---

1 산천초목(山川草木): 산과 내와 풀과 나무라는 뜻으로, 자연을 이르는 말.
2 고사(枯死): 나무나 풀이 말라 죽음.
3 초근목피(草根木皮): 풀뿌리와 나무껍질이라는 뜻으로, 맛이나 영양이 없는 거친 음식의 비유.
4 천재지변(天災地變): 지진이나 홍수 따위의 자연현상으로 인해 생기는 재앙.
5 천재(天災): 자연의 현상으로 일어나는 재난. 태풍·홍수·지진 등.
6 목석지역(木石之役): 백성들은 강제로 동원되어 나무를 깎고 돌을 다듬는 일.

의 부모 된 뜻에 어긋나는 일이옵니다. 하물며 이웃에는 강경지적7이 있어 호시탐탐8 넘보고 있는데 만일 이때를 기하여 쳐들어온다면 나라와 백성들이 어떻게 되겠나이까? 원컨대 대왕께서는 이를 충분히 헤아리소서."

모든 신하들은 머리를 조아려 왕에게 선정9을 베풀도록 간언하였다.

"임금이란 만백성의 어버이로서 우러름을 받아야 되거늘 궁전이 장엄하고 화려하지 못하면 어떻게 위엄을 보일 수 있는고?"

왕은 노기가 충만하여 얼굴이 붉으락푸르락했다.

"국상은 지금 과인을 비방하여 백성들의 칭찬을 받으려는 저의에서 그따위 허언을 발하는 것이렷다?"

금방이라도 칼을 빼어 창조리의 목을 칠 것 같은 태세였다. 모든 신하들은 입을 다물고 왕의 거동을 주목하였다. 옥좌에서 벌떡 일어섰던 왕은 도로 털썩 앉으며,

---

7 강경지적(强梗之敵): 강한 적.

8 호시탐탐(虎視眈眈): 범이 눈을 부릅뜨고 먹이를 노려본다는 뜻으로, 기회를 노리고 가만히 형세를 살핌. 또는 그런 모양.

9 선정(善政): 백성을 바르고 어질게 잘 다스리는 정치. 선치(善治).

"한의 군현이 우리나라를 넘보는 것은 어제오늘의 일이 아닐뿐더러 설혹 변방의 땅을 수탈한다 해도 뭐가 그리 대수로운고? 또한 백성들은 어버이 된 과인을 위하여 목숨을 바치는 것이 천명[10]이거늘, 역사에서 도망치는 자는 가차 없이 버혀서 기강을 바로잡도록 하여라!"

하며 수염을 쓰다듬는다.

창조리는 이에 굴하지 않고 한 걸음 앞으로 나아가면서 다시 아뢴다.

"임금으로서 백성을 사랑하지 아니하는 것은 인(仁)이 아니옵고 신하로서 임금을 간하지 않는 것은 충(忠)이 아니옵니다. 신이 국상의 자리에 있으면서 이를 간하지 않는다면 만고의 불충[11]이 될 것입니다. 어찌 감히 백성들의 칭찬을 받으려고 말하는 것이겠습니까?"

병마사[12]가 또 나아가며 왕에게 아뢰었다.

"위로는 현도군과 모용씨 일족이 우리 사직을 넘보고 아

---

10 천명(天命): ① 타고난 수명. 천수(天數). 천수(天壽). ② 하늘의 명령. ③ 천자의 명령.

11 불충(不忠): ① 충성을 다하지 않음. ② 충성스럽지 않음

12 병마사(兵馬使): 중앙군의 지휘관.

래로는 낙랑군이 또한 이와 같고, 더구나 백제와 신라도 그 국력이 날로 팽창해지는 이때, 외적의 침입이 없으리란 것은 사리에 어긋난 일이옵니다. 지금이라도 병마13를 정돈하고, 훈련을 시켜 난에 대비하고 나아가서는 한의 군현의 세력을 이 땅에서 몰아내어 자손만대에 안정된 국토를 물려줘야 할 것이옵니다. 지금 병사는 헐벗고 굶주려서 피골이 상접하고, 병기는 낡아서 쓸모가 없게 되었사옵니다."

왕의 눈썹이 부르르 떨다가 멈춘다. 한칼에 이들을 버힐까 하다가 다시 마음을 고쳐먹는다.

"다시는 그러한 말을 하지 말렷다! 한 번 더 쓸데없는 말을 하면 반역으로 다스려 과인의 체통을 지킬 것이니라!"이에 이르자 창조리는 비로소 다른 방도를 생각하기에 이르렀다. 창조리는 왕을 폐하고 새로 임금을 세워야만 이 국난을 타개할 수 있다고 결심하기에 이르렀다. 왕에게도 두 명의 왕자가 있었으나 부전자전이라고 그들도 부왕14을 본받

---

13 병마(兵馬): ① 병사와 군마. ② 군대 · 군비 · 무기 등 '군(軍)이나 전쟁에 관한 모든 일'의 총칭.
14 부왕(父王): 아버지인 임금.

아 주색15에 눈이 어두워서 나라와 겨레에 대한 일은 까맣게 잊고 있었다.

그러면 누구를 왕으로 모셔야 하겠는가를 심복들과 상의를 하자, 모두 을불을 내세웠다. 창조리도 마찬가지로 무예가 뛰어나고 지략을 겸비한 을불이야말로 고구려를 중흥시킬 재목이라고 믿고 있었다.

그러나 을불은 잠적해 버린 지 어느덧 일곱 해가 되었다. 이제 와서 어디서 어떻게 찾을 수 있겠는가. 재작년 7월에도 왕은 후환을 두려워하여 을불 모자를 찾아 죽이려고 각지에 군을 풀었지만 뜻을 이루지 못한 일이 있었다.

"을불 왕손을 어디 가서 찾는단 말이오?"

창조리는 근심에 싸여 좌중을 둘러보았다.

"하늘이 나라를 버리지 않으면 꼭 찾을 수 있을 것 아닙니까?"

"그렇습니다. 을불 왕손은 자포자기하여 스스로 자진16할 분이 아니옵니다. 어딘가에 꼭 살아 계실 것이옵니다."

"짚이는 데가 있습니다."

---

15 주색(酒色): ① 술과 여자. ② 얼굴에 나타난 술기운.
16 자진(自盡): ① 자살. ② 죽기로 결심하고 굶거나 약을 쓰지 않아 목숨이 다함.

이때 북부의 조불이 앞으로 나섰다.

"강동 방면에 가면 을불 왕손을 찾을 수 있을 것입니다. 2년 전에 그곳에서 무술대회가 열린 일이 있었습니다. 그때 어느 구경꾼이 비범한 솜씨를 지니고 있었답니다. 날아오는 화살을 맨손으로 잡아 던져서 과녁을 명중시켰다고 하옵니다. 제가 그곳 태수로 있을 때여서 바로 보고를 받았습니다. 그 사람이 바로 을불 왕손인 것 같아서 일부러 그냥 내버려 두고 도망치게 했던 것입니다. 나라 안에서 그만한 무예를 지닌 사람이 을불 왕손이 아니고 또 누가 있겠습니까?"

조불은 궁노17의 명수이고 일찍이 공을 세워 나라에서 식읍18을 주어도 이를 사양하고 언제나 공(公)을 앞세워 사(私)를 버리는 인물이었다.

"그렇다면 그대가 을불 왕손을 꼭 찾도록 하시오."

창조리는 조불이라면 만사를 일임해도 믿을 만하다고 생각하여 이렇게 말하였다.

"저도 함께 가도록 해 주시기 바랍니다. 사미 부인도 찾

---

17 궁노(弓弩): 활과 쇠뇌.
18 식읍(食邑): 국가에서 공신에게 내리어, 조세를 개인이 받아 쓰게 하던 고을.

아야 하니까 손이 많을수록 좋을 듯합니다. 또한 그분들의 안위도 걱정이니까 말이옵니다."

동부의 소우가 앞으로 나섰다.

"목숨을 걸고 비밀을 지켜 이 나라의 운명을 건지시오."

창조리는 조불과 소우에게 이같이 엄명하였다. 그리하여 왕을 폐하고 신왕을 세우려는 계획은 착착 진행되었다.

하늘이 도왔는지 조불과 소우는 한 달도 못 되어 뜻을 성취하였다. 그들이 강동으로 나아가 수소문을 해 본 결과 비류하 쪽으로 수상한 사람 둘이 내려갔다는 이야기를 듣고 곧바로 그쪽으로 말을 달렸다

비류하변에 이르니 과연 한 장부[19]가 배 위에 앉아 있고 또 한 사람이 노를 저으려 하고 있었다. 배 위에 앉아 있는 장부는 옷이 다 헐었고 봉두난발[20]이었으나 비범한 용모는 그대로 돋보였다. 소우와 조불은 이가 곧 을불이 아닌가 의심하여 나아가 무릎을 꿇고 아뢰었다.

"지금 국왕은 무도하여 백성을 돌보지 않고 외적의 침입에서 나라를 방위할 생각을 하지 않으니, 국상과 신하들이

---

19 장부(丈夫): ① 장성한 남자. ② '대장부'의 준말.
20 봉두난발(蓬頭亂髮): 머리털이 쑥대강이처럼 마구 흐트러짐. 또는 그런 머리털.

왕을 폐하여 나라를 건지려고 결심한 바에 이르렀습니다. 왕손께서는 조행21이 검약하시고 인자하시어 애인22하시니 가히 조업23을 이을 만하신 까닭으로 신 등을 파견하여 맞게 하셨나이다."

을불은 경계하는 빛으로 이들을 유심히 살펴본다. 그들한 테서 사기24는 보이지 않으나 시치미를 뚝 떼고 대꾸한다.

"나는 야인25이며 왕손26이 아니니 그대들은 다시 그를 찾아보도록 하십시오."

조불과 소우는 뱃전을 잡고 간곡하게 말한다.

"지금 왕은 인심을 잃은 지 오래고 또한 천심27조차 잃었으니 이제는 국왕으로 있을 수 없는 까닭입니다. 부디 왕손께서는 의심을 거두시고 신의 간곡한 말씀을 저버리지 마옵소서."

---

21 조행(操行): 태도와 행실. 품행(品行).
22 애인(愛人): 남을 사랑함.
23 조업(祖業): 조상 때부터 대대로 내려오는 가업(家業).
24 사기(邪氣): 요사스럽고 나쁜 기운.
25 야인(野人): ① 시골에 사는 사람. ② 벼슬하지 않는 사람.
26 왕손(王孫): 임금의 손자 또는 후손.
27 천심(天心): ① 하늘의 한가운데. ② 하늘의 뜻.

이때 재모가 을불 앞에 와 절하며 말한다.

"하늘의 뜻을 거역하지 마옵소서. 나도 이 시간부터는 왕손의 신이 되겠나이다. 오늘을 위하여 기다리신 뜻을 견고히 하옵소서."

비로소 을불은 그들을 따라 7년 만에 국내성으로 돌아왔다. 성으로 들어가자 을불의 가슴에는 희비가 교차하였다.

아버지의 참변을 알고 새벽녘에 성을 빠져나오던 일이며, 그동안 수실촌에서 머슴살이하던 일이며, 연못가에서 만난 유라 낭자의 일이며 모든 일이 한꺼번에 주마등같이 머릿속을 지나가는 것이었다.

국상 창조리가 나와서 을불을 조맥남가에 모시어 비밀이 새어 나가지 않게 한 뒤,

"때를 보아 왕을 폐하려 하오니 그동안 여기 계시기 바라옵니다. 하늘이 나라를 버리지 않으시어 왕손을 여기에 모실 수 있으니 오직 천은28이 무량할 뿐이옵니다."
하며, 통곡한다.

"좋소. 그러나 나는 혈연 간에 피를 흘리게 하는 것은 반

---

28 천은(天恩): ① 하늘의 은혜. ② 임금의 은덕.

대하오. 비록 지금의 왕이 내 아버님을 해하였다고는 하지만, 피를 피로써 갚으면 또다시 피를 부르는 법. 그대는 이 점에 특히 유의하기 바라오. 나는 꼭 왕이 안 돼도 상관이 없는 몸, 나라의 터전을 굳건히 하여 타민족의 세력을 이 땅에서 몰아내는 일에는 백의종군[29]할 각오도 돼 있소. 지금까지 산야에 묻혀 산 것은 왕이 나를 해하려 했기 때문이오."

을불은 국상 창조리를 맞아 이와 같이 단호한 결의를 표했다. 그의 마음은 사실 이와 같았다. 왕이 되고 싶은 욕망보다는 나라를 위하여 젊은 혈기를 불태울 수 있으면 족한 일이었다.

국상은 왕손의 이러한 말을 듣고 더욱 감루[30]를 흘리며,

"황공하옵니다. 왕손께서 그토록 바다 같은 도량을 지니셨으니 앞으로 고구려는 세세손손 그 터전을 이어 가게 되오리다."

한다.

국상이 돌아가고 나자 집안에는 오로지 재모와 을불만이

---

29 백의종군(白衣從軍): 벼슬 없이 군대를 따라 싸움터로 나아감.
30 감루(感淚): 감격의 눈물.

남았다. 밤이 되자 8월의 밝은 달이 동편에서 떠올라 오곡이 무르익는 들을 환하게 비추었다.

담 밖에는 소우와 조불이 배치하여 놓은 심복 부하들이 파수를 보고 어디서 날아오는지 밤이 이슥해지자 주안상도 들여보냈다.

"너무 어려워 말게나. 어제까지는 나도 소금 장사요, 걸인이 아니었나? 우리 옛정을 생각해서 그러지 말게나. 자, 가까이 앉게."

재모는 황공하여 고개를 들지 못하고 엉거주춤한 자세로 가까이 왔다.

사실 을불을 처음 만났을 때부터 그가 평범한 사람이 아니라는 것을 은연중에 눈치챈 재모였다. 처음 을불을 만나게 되던 날 재모는 소금을 내려놓고 잠깐 쉬는 사이에 그만 잠이 깜박 들었다. 그때 꿈에서 백발노인이 나타나 품에서 큰 구슬을 꺼내 재모에게 주는 것이었다. 재모는 금빛 찬란한 구슬을 얼른 받았다. 그런데 그 구슬이 어찌나 뜨거운지 그만 깜짝 놀라는 바람에 꿈이 깨었다. 너무도 이상한 꿈이라서 꿈을 깨고도 멍하니 앞을 보고 있자니 거기에 바로 꿈에서 본 큰 구슬이 빛나고 있었다. 그러나 다음 순간 그의 눈앞에 있는 것은 구슬이 아니라 어느 청년의 얼굴임을 알

고 벌떡 일어났다. 그가 바로 을불이었다. 수실촌에서 쫓겨
난 을불은 다시 머슴으로 들어갈까, 아니면 깊은 산속으로
들어가서 산짐승들과 평생을 살까 하던 차였다. 그러다가
소금 짐을 내려놓고 잠이 든 재모를 만나자 같이 동업할 것
을 청했다. 수중에 재물이 하나도 없었으므로 열심히 장사
를 해서 이문을 많이 남겨주겠다고 했더니 재모는 손을 내
저으면서,

"아니요. 나도 마침 혼자 장사하기가 손이 달리던 판이
오. 잘 됐소. 당신은 어디서 오는 사람이며 장차 어디로 갈
사람이오?"

했다.

어디서 와서 어디로 가느냐. 을불이 어디서 온 것도 어디
로 가게 될 것도 다 말할 수가 없었다.

"장사를 배워서 여기저기 떠돌아다니는 게 소원이오."

왕손은 눈을 감고 재모를 처음 만났을 때를 회상해 본다.
그 후에도 재모는 을불을 죽마고우로서 상대하여 주었다.
장사하는 데 서투른 점이 있어도 화를 내지 않았고 여기저
기 떠돌아다니면서 노숙을 할 때도 언제나 밥은 재모가 지
었다. 누가 시켜서 그랬던 것이 아니라, 재모는 웬일인지
을불을 위하여 수고를 하는 게 즐겁기까지 했던 것이다.

“자, 한잔 들게나.”

왕손 을불은 재모에게 술을 권하며 눈을 지그시 감는다.

“예, 왕손께서도…….”

재모는 머리를 조아리며 술 주전자를 든다.

“그대에게 큰 임무를 맡길 테니 실수 없도록 하게.”

왕손은 눈을 뜨면서 재모의 얼굴을 찬찬히 눈여겨본다.

“예.”

“다름이 아니라, 자네는 오늘 밤 안으로 이곳을 떠나게.”

“예?”

“음, 그게 좋을 듯하네. 한시가 급하니까 빨리 빠져나가서 북부로 가게. 가서 어머님께 사실을 아뢰고 즉시 모셔오도록 하게.”

“그러하오나 혹시 위험한 일이라도 생기면 어찌하려고요?”

을불이 아직 왕위에 오른 것이 아니므로 섣불리 사미 부인을 데려오다가는 도중에서 관군에게 해를 입을지도 모르는 일이었다. 재모는 그게 걱정이 됐다.

그러나 을불의 생각은 이와 달랐다. 이번 기회에 왕업을 차지하지 못하고 다시 산야에 묻혀 숨어 살 게 되면 평생 동안 묻혀 지내게 될 것이고, 만일 창조리가 계획하

고 있는 거사가 실패한다면 목숨을 부지하기 어려울 것이
었다.

또한 왕위에 오르는 날 옆에 어머니를 모셔야 될 것 같았
다. 몇 년 만에 아들을 만나고도 끝내 방에서 나오지 않고,
왕손의 체통을 살려 나가기를 훈계하던 어머니는 을불을
자식으로 대하는 것이 아니라, 고구려를 보전해 나갈 주인
으로 대한 것이다. 이러한 도도한 국량을 지닌 사미 부인을
한시라도 빨리 모셔 와야 될 것 같았다.

"괜찮네. 즉시 북부로 가서 내 어머니를 모셔오되, 만사
에 조심을 해서 실수가 없도록 하게나."

"예. 분부대로 하겠습니다."

재모는 일어나서 넙죽 엎드려 절을 했다.

재모는 그날 밤으로 행장을 꾸려 길을 떠났다.

주안상을 마주하고 앉아 혼자서 을불은 마음속에서 우러
나는 여러 가지 감회를 달래다가 문득 품속에서 작은 은잠
을 꺼냈다. 유라의 얼굴이 그의 눈앞에 떠올라 왔다.

수실촌에서 만났던 유라. 벌써 몇 년이 흘렀는가. 을불이
잠에 떨어져 있을 때 연못에 돌멩이를 던져서 개구리를 울
지 못하게 하던 마음씨 고운 유라 낭자였다. 헤어질 때 신
표로 구리거울과 은잠을 서로 주고받았다.

"아직 자리에 들지 않으셨습니까?"

밤이 이슥해서 조불과 소우가 찾아왔다. 을불은 얼른 은
잠을 품속에 넣고 나서 그들을 맞아들였다.

"야심한데 웬일이오?"

"예. 지금 왕을 그대로 살려두었다가는 무슨 후환이 있을
지도 모르는 일입니다. 왕손께서 허락해 주신다면 후환을
없앨까 합니다."

조불이 뚜릿뚜릿한 눈을 번쩍이며 말했다. 목소리가 어
떻게나 우렁찬지 폭포가 떨어지는 듯했다.

"음……."

을불은 깊은 생각에 잠겼다. 지금의 왕이 8년 전 즉위하
자마자 안국군 달가와 을불의 아버지 돌고를 죽인 것도 왕
권에 대한 보존책의 하나이지 않았던가. 또한 사람을 시켜
을불을 찾아 죽이려고 했던 것도 마찬가지가 아니었던가.
물론 후환은 없애야 하지만, 피를 피로써 갚으면 반드시 또
피를 부르는 법.

"그건 안 되오. 이미 국상한테도 말했지만 그럴 수 없
소."

을불은 단호하게 말했다.

조불과 소우는 황송하여 머리를 조아리며,

"알겠나이다."

한다.

왕손 을불은 한참 만에 입을 연다.

"수실촌에 다녀와야 하겠는데 괜찮겠소?"

"안 되옵니다."

"바로 오늘 아침에도 왕이 을불 왕손을 냉큼 잡아 오라고 불호령을 했습니다."

"무슨 일인지는 모르오나 출입을 삼가심이 좋을 듯하옵니다."

그들은 번갈아 가며 적극 만류를 하고 나서 또 머리를 조아린다.

"내 사사로운 볼일이 있소이다. 그렇다면 할 수 없는 일이오."

을불은 수실촌의 유라 낭자를 얼른 만나서 국내성으로 데려오고 싶은 마음이 굴뚝같았다.

"왕손께서는 앞으로 왕업을 이어 나가실 존귀한 몸이십니다. 부디 옥체를 귀히 여기셔야만 합니다."

"북방의 문제는 어떻게 대처하시려 하옵니까?"

"북방이라니?"

"대륙의 현도군 말입니다. 요동에서는 모용씨 일파가 자주 분쟁을 일으키고 있고, 멀리 북쪽으로는 한족의 군현이 우리 고구려 영토를 넘나들고 있습니다."

조불과 소우는 은근히 을불의 마음을 떠보려는 속셈이 있는 듯했다. 지금의 봉상왕은 무조건 한족 세력한테 굴종하려는 태도를 취한 적이 한두 번이 아니었다. 신하들이 한족 세력을 몰아내자고 건의를 해도 그는 늘 소극적인 자세로 이에 응했다. 또한 한족의 군현 태수에게 방물을 바쳐 고구려 왕의 체통을 잃기도 했다.

"모든 국가는 그 영토와 백성을 보전해야 하오. 만일 고구려의 영토와 백성이 이민족의 손에 넘어간다면 이는 결코 용납 못 할 일이오. 북방의 문제는 아주 그들의 근거를 뿌리 뽑아야 할 것이오. 그래야만 우리의 영토와 백성이 온전하지 만일 지금과 같이 문란한 상태로 방치한다면 그들은 세균처럼 보이지 않는 틈에 조금씩 조금씩 파고들어 와 마침내는 여기 왕성까지 유린할 것이오."

을불은 그들을 뚫어지게 쳐다보면서 자기의 소신을 밝혔다.

"지당한 말씀입니다."

그들은 왕손에게 절을 한다.

이튿날 을불은 남루한 차림 그대로 밖으로 나가 보았다.

누가 보든지 그를 왕손으로는 보지 않을 것이었다. 7년 전에 화를 피하여 국내성을 단기[31]로 떠났다가 이제 돌아온 을불, 얼마 후면 왕위에 오를 을불의 꼴이 그토록 남루한 줄이야 누가 알겠는가.

그가 국내성을 떠날 때보다도 거리는 더 황폐해 있었다. 젊은이들이 무술을 연습하던 활터에는 잡초가 우거지고, 쇠를 녹여 창과 칼을 만들던 대장간도 낡고 허물어져 옛 모습을 찾을 수 없었다.

그러나 멀리 보이는 성의 궁궐만은 그 위용이 한결 빛나 보였다. 헐벗고 굶주린 백성들을 끌어다가 궁궐을 호사롭게 지었기 때문이었다. 그래서 백성들은 노역에 시달리다 못해 집을 버리고 이웃 나라로 도망을 간 자가 상당했다.

을불은 거리를 거닐며 어깨가 점점 무거워짐을 느꼈다. 앞으로 고구려를 이끌어 나갈 왕이 된다는 것은 그만큼 어렵고 힘든 일이 한두 가지가 아니기 때문이다.

을불이 왕위에 오르게 된 날은 의외로 빨리 왔다. 그가 조맥남가에 숨어 있은 지 나흘만의 일이었다. 서기 300년

31 단기(單騎): 혼자 말을 타고 감. 또는 그 사람.

9월 초의 일이었다. 이미 군신들과 더불어 왕을 폐하기로 의논을 한 국상 창조리는 큰일일수록 비밀이 탄로되기 전에 재빨리 해치워야 한다고 생각했다. 새 임금이 될 을불이 피를 흘리는 것은 삼가라고 했으므로 무혈32로써 왕을 폐하여야 할 텐데, 그러자니 시의33에 알맞은 어떤 계기가 있어야 할 것이었다. 군사들을 앞세우고 궁궐로 쳐들어가게 되면 자연히 왕의 측근들과 칼부림을 해야만 한다.

그런데 마침 절호의 기회가 의외로 빨리 찾아왔다. 왕이 궁녀들과 병정들을 데리고 후산(侯山) 북쪽으로 사냥을 가겠다고 분부를 한 것이다. 왕은 평소에도 사냥을 즐겼다. 궁녀들을 모두 데리고 가서 하루를 야외에서 즐기는 것이었다.

창조리도 왕을 모시고 사냥길에 올랐다.

왕은 백발이 성성한 국상을 향하여,

"그대도 활을 쏠 줄 아는고?"

하며 빈정거렸다.

창조리는 얼굴색 한 번 바꾸지 않고 침착하게,

---

32 무혈(無血): 피를 흘리지 않음. 폭력적 수단을 쓰지 않음.
33 시의(時宜): 그 당시의 사정에 맞음.

"예, 소신은 짐승보다 더 큰 것을 사냥하옵지요."

하고 엉뚱한 말을 했다.

왕은 이 말이 무슨 말인지 몰랐다. 짐승보다도 더 큰 것을 사냥한다니 그게 도대체 무슨 사냥일까.

"허허, 그대는 노망이 들었나 보오."

왕이 호탕하게 웃자 그를 모시는 궁녀들이 까르르 웃는다.

사냥이 시작되었다. 병졸들이 산을 에워싸고 짐승을 왕이 있는 골짜기로 몰고, 군신들은 왕을 호위하면서 사냥을 즐기는 것이다.

국상 창조리는 사냥이 시작되기 직전 군신들과 병졸들을 모아 놓고,

"나와 뜻을 같이하는 자는 나를 따르라."

하며 갈잎을 뜯어 관에 꽂았다.

군신들과 병졸들은 무슨 영문인지는 모르나 백성들의 존경을 한 몸에 받는 국상을 따라 모두 갈잎을 뜯어 머리에 꽂았다.

"좋소. 그대들은 듣거라. 이 나라의 운명이 지금 경각에 달렸다. 만백성의 어버이인 임금의 사치와 방탕으로 백성들은 도탄에 빠져 목숨을 부지하기 어려워졌다. 이에 나는

왕을 폐하고 신왕을 받들어 우리 고구려의 국기를 만세에 전하고자 한다.”

창조리는 이렇게 말하고 칼을 높이 들었다. 무리들도 그를 따라 함성을 지르며 칼을 높이 들었다. 이런 일이 벌어진 것은 사냥이 막 시작되려는 순간이었다. 왕은 궁녀들을 희롱하다가 때마침 숲속으로 뛰어가는 노루를 겨냥하고 말을 달리려는 찰나였다. 시종이 달려와서 사태의 위급함을 알렸다.

“모반이 일어났습니다!”

“뭐라고?”

“군신들이 모반을 일으켰습니다! 얼른 자리를 피하십시오!”

“그게 정말인가?”

왕은 이렇게 소리 지르며 좌우에 있는 왕자를 둘러보았다. 왕자 갈채와 서시도 안색이 새파랗게 질려서 부왕을 쳐다볼 뿐 입을 열지 못한다.

잠시 후에 왕과 두 왕자는 엽막34으로 압송되어 왔다. 누

---

34 엽막(獵幕): 사냥 기간에 이용하려고 임시로 지은 막사.

구 하나 왕을 위하여 반군들에 대항하는 자가 없이 왕의 시종무관들도 비실비실 옆으로 피하여 달아났다.

"이게 무슨 무엄한 짓인고?"

왕은 막사 앞에 이르러 그 앞에 모여선 군신들을 휘돌아보며 호령을 한다.

"황송하옵니다."

국상이 앞으로 나오며 말했다.

"고구려는 일찍 대륙을 다스리는 나라로 성장해 왔습니다. 그런데 오늘에 이르러 국력이 허약해지고 변방의 이민족이 나라와 백성을 유린하고 있습니다. 특히 한의 군현 세력은 우리의 영토 안에 깊숙이 거점을 마련하여 갖가지로 수탈을 일삼고 있으니 어찌 통탄할 일이 아니겠습니까? 그런데 나라와 백성의 어버이 되시는 임금은 사치와 허영에 눈이 멀어 백성을 구원하기는커녕 가혹한 노역에 동원하고 이민족에게는 부복[35]하니, 이것은 선왕들이 남기신 유훈[36]에도 어긋나고, 하늘이 이 나라를 내신 천리(天理)에도 어긋나는 일인즉, 이에 온 군신들은 뜻을 모아 신왕을 모시려

---

35 부복(俯伏): 고개를 숙이고 엎드림.
36 유훈(遺訓): 죽은 사람이 생전에 남긴 훈계. 유계(遺戒).

하는 것입니다."

국상이 말을 계속하는 동안 왕은 고개를 푹 숙이고 그대로 서 있었다. 금은으로 장식한 어의37가 가을 햇빛을 받아 반짝이는 것과 대조적으로 그의 얼굴빛은 창백하기 그지없었다.

왕이 두 왕자와 더불어 자결한 것은 이날 밤이었다. 군신들은 을불의 말을 따라 왕을 시해하지 않고 별실에 감금해 놓았었는데, 왕은 사태가 좀처럼 호전될 것 같지 않을 뿐만 아니라, 재위 9년 동안에 왕으로서의 본분을 못다 했던 점을 뉘우치고, 그럴 바에야 차라리 자결하는 길을 스스로 택했던 것이다.

이튿날 을불은 신왕에 추대되어 즉위하였다.

이분이 바로 고구려 5대 미천왕이다. 다음 날 아침 북부로 갔던 재모가 을불의 어머니 사미 부인을 모시고 돌아왔다. 8년 만에 아들과 만나는 사미 부인의 감회는 큰 것이어서, 을불을 처음 만나자 정신 나간 사람처럼 멍하니 입을 벌리기만 했다.

---

37 어의(御衣): 임금이 입는 옷.

수실촌에 사람을 보내 유라 낭자를 데려온 것은 그 며칠 뒤였다.

새 임금을 맞은 고구려는 새로운 희망과 기대에 부풀어, 폐허가 됐던 궁방38에서는 다시 활을 만들고 나라의 구석구석에서 벌떡벌떡 숨 쉬는 소리가 들려오기 시작했다. 을불은 왕위에 오르자 모든 시정(施政)을 관용으로써 하여 정치 보복을 엄금하였다. 아버지 돌고의 목을 쳤던 형리(刑吏)들까지도 모두 사면하였다.

왕에게는 하늘이 내려 주신 더 큰 꿈과 포부가 있었다.

---

38 궁방(弓房): 활을 만드는 곳.

3. 누런 안개가 사방에 자욱이 끼다

현도군을 공략하기 위하여 3만 명을 헤아리는 고구려의 대군이 출군한 것은 서기 302년, 새 임금이 즉위한 지 3년째 되는 해 9월 초나흗날이었다. 9월이었지만 북국의 날씨는 제법 쌀쌀하여 겨울날을 방불케 했다.

즉위하자마자 왕은 우선 서북의 현도군을 공략할 준비에 착수하여 그동안 돌보지 않던 군마를 사육 훈련시키고, 각 부(部)에 군량미를 충분히 비축하도록 명하고, 궁방에 명하여 활과 화살을 대량 생산케 했다.

뿐만 아니었다. 군도1와 창을 만들게 하여 군도는 모두 장도2로 하고 창은 다지창으로 만들게 하였고, 병사들에게는 병기를 다루는 훈련을 시키는 한편 투석에 능하도록 연마를 시켰다.

즉위 원년부터 풍년이 들어서 굶주림에 시달렸던 백성들

---

1 군도(軍刀): 군인이 허리에 차는 칼.
2 장도(長刀): 긴 칼. 대도(大刀).

이 배부르게 먹고, 기아와 수탈에 시달려 뿔뿔이 흩어져서 국경을 넘었던 난민들도 모두 앞을 다투어 고향으로 돌아와 씨를 뿌렸다. 이웃 나라에서도 넘어오는 호구가 늘어 1년 만에 고구려는 다시 이전의 호구를 확보할 수 있었다.

지금까지 서북쪽의 현도군에 대한 방어는 신성 태수가 도맡아 왔었다. 그러나 현도군은 한족 본토에서 조달되는 병기와 병사들로 고구려의 북쪽 지방은 어디를 막론하고 마음대로 활보하며 물자와 여자를 약탈하는 횡포를 서슴지 않았다. 신성에 모여 사는 고구려 백성들은 감히 이들을 공략할 엄두를 낼 수 없었다. 태수인 고노자가 워낙 용맹 있는 장수이고 백성을 잘 다스려서 성이 보존되었던 것이지, 나머지 만주 벌판의 대부분은 현도군에서 나온 병사와 서안평에 자리 잡은 선비족 연의 모용씨의 병사들이 침략하여 해마다 막대한 전화3를 입곤 했다.

이들의 존재는 기생충 같은 것이어서 국토의 여기저기를 좀먹어 들어와서 한때는 북방의 국경이 어딘지 조차 모를 정도로 국토와 백성을 유린했던 것이다. 낙랑군을 먼저 멸

---

3 전화(戰禍): 전쟁으로 말미암은 재화. 또는 그런 피해. 병화(兵禍).

하여 우선 반도에서 한인을 몰아내자는 신하들의 의견도 있었지만 왕의 생각은 이와 다른 바가 있었다.

"아니오. 낙랑군은 반도 안에 위치해 있기 때문에 오히려 그냥 내버려 둬도 시간이 흐르면 우리에게 동화 흡수될 수 있을 것이오. 그 아래로 우리와 같은 핏줄인 백제와 신라가 있기 때문에 그 세력은 그다지 겁날 게 없소. 우선 북쪽의 현도군을 멸해야 되오. 고구려의 터전은 반도가 아니라 북쪽 대륙이오. 끝없이 이어져 나간 대륙으로 힘을 뻗쳐야만 우리는 천추에 남을 만한 대국이 되는 것이오."

현도군이 요동으로 쫓겨 간 것은 이미 기원전 75년의 일이었다. 토착 세력의 침공에 못 이겨 치소4인 고구려 현을 버리고 혼하의 노성 지방으로 옮겨 간 다음부터는 한족의 전초기지로 고구려를 압박해 왔던 것이다.

말하자면 현도군은 한족의 한 개 군현이라기보다는 고구려의 북진하는 국력을 관측하고 미리 분쇄하는 전방의 전초로서 그 사명을 띠고 있는 셈이었다. 바로 이러한 전초기지를 분쇄 멸망시키려는 것이 이번 현도군 공략의 목표였다.

---

4 치소(治所): 어떤 지역에서 행정 사무를 맡아보는 기관이 있는 곳 더

궁의 정사는 국상 창조리에게 위임하고 조불과 소우로써 선봉장을 삼아 출군한 대군은 왕이 몸소 전복5 차림으로 총대장이 되고, 왕이 야인이었을 때 함께 소금 장사를 하던 재모가 왕의 친위장이 되었고, 신성 대형 고노자는 현지에서 합류하기로 돼 있었다.

신성에 이르기까지 가끔 적병과 조우하였으나 모두 선봉 부대가 잠깐 사이에 멸하여 후군에서는 알지도 못할 만큼 미미한 전투였다.

압록강을 따라서 내려오다가 중간에서 정북방 방향으로 머리를 돌린 대군의 긴 행렬은 며칠 뒤에 다시 북서쪽으로 방향을 돌렸다. 북진해 갈수록 날씨는 점점 고약해져서 차츰 현도의 병사들과 전투가 자주 벌어질 즈음이 되자 비바람이 사납게 뿌리기 시작하였다.

"신성은 아직 멀었느냐?"

왕이 묻자 친위장 재모가 바짝 곁으로 따라붙으며,

"오늘 안으로 도착된다 하옵니다."

한다.

---

5 전복(戰服): 무관들이 입던 옷.

"병사들을 휴식시키고 배불리 먹이도록 하여라."

"예."

왕은 중군6에 위치해 있었다. 왕의 분부가 선두에 닿자 거기서부터 병사들은 멈추기 시작하여 이윽고 모두 정지했다. 워낙 대군이라서 끝에서 끝이 안 보일 지경이지만 군기7 또한 엄하여서 한마디면 질서정연하게 따랐다.

기병8들도 말에서 내려 우선 말한테 먹이를 주느라고 분주하게 왔다 갔다 한다. 맨 후미에는 군량미를 실은 거9들이 뒤따르고 있고, 선봉부대를 위시로 전군·중군·후군으로 편성된 대군은 각 군마다 기병부대와 특수부대가 포함되어 있었다.

특수부대는 군의10와 천문 지리에 능한 병사를 비롯하여 조궁장11이와 창과 군도를 만드는 기사들이 포함되어 있는가 하면, 군악병들도 있었다.

---

6 중군(中軍): 예전에, 전군의 중간에 있어, 대개는 대장이 직접 통솔하던 군대.

7 군기(軍紀): 군대의 규율 및 풍기.

8 기병(騎兵): 말을 타고 싸우는 군사. 기마병.

9 거(車): 수레.

10 군의(軍醫): 군대에서 의사의 임무를 맡고 있는 군인.

11 조궁장(造弓匠): 활을 만드는 것을 업으로 삼는 사람.

이들은 실전에는 참가하지 않지만 대군이 원정12을 할 때면 전투 병력보다 더 중요한 임무를

각기 부여받고 있었다.

"마누라 궁둥이 생각이 간절하이."

어느 병사가 이렇게 말하며 전대13에서 음식을 꺼내 한 입 물어뗀다.

"큰일 날 소리 말게나. 민가에 들어가서 약탈을 하거나 부녀자를 건드리면 삼족14을 멸한다는 군령15을 못 들었나?"

"왜 못 들었겠나? 내 말은 그냥 마누라 생각이 난다는 것뿐이야."

"안심하게나. 이번 원정에는 젊은이는 모두 참전을 했으니, 자네 여편네 건드릴 놈이 없네그려."

"하긴 그래."

---

12 원정(遠征): 먼 곳으로 싸우러 나감.

13 전대(纏帶): 허리에 두르거나 어깨에 메게 된 자루.

14 삼족(三族): ① 부모와 형제와 처자. ② 부(父)·자(子)·손(孫)의 총칭. ③ 부계(父系)·모계(母系)·처계(妻系)의 세 족속.

15 군령(軍令): ① 군대 안에서의 명령. ② 국가 원수(元首)가 통수권으로써 군에 내리는 명령.

"아무렴. 다른 때 같으면 병력을 기피한 놈들이 후방에서 계집 사냥을 하며 떵떵거리고, 못난 놈만 전쟁에 나와 목숨을 버렸지."

"그러나저러나 한나라 놈들은 왜 눈에 안 띄는 거야?"

"걱정 말게나. 머지않아 혈전이 벌어질 거야. 벌써 진을 치고 우리를 기다릴 걸세."

"현도군에는 예쁜 계집들이 많겠군그랴. 허허."

"침부터 삼키지 말게나."

"한나라 계집은 냄새가 지독히 나서 코를 막고 밤일을 봐야 된다네."

"예끼, 이 사람."

병사들은 배불리 먹으며 낄낄거리며 웃고, 말들도 발굽을 딱딱거리며 꼬리를 흔든다. 비바람이 고약하게 불어 병사들은 모닥불을 피워놓고 젖은 옷을 말리며 허허벌판이 계속되는 전방을 바라본다. 대륙에서는 거리감이 이상해진다. 바로 지척인 것같이 보이는 구릉16이 온종일 가도 손에 잡히지 않는 것이다.

---

16 구릉(丘陵): 언덕.

왕은 막사에서 장수들과 더불어 전략회의를 주재하고 있었다.

"내일이면 현도성에 당도하게 됩니다. 오늘 일찍 서둘러 신성에 이르러 병사들을 휴식케 하고 휴대용 식량을 배급해야 되겠습니다."

소우가 금빛으로 번쩍번쩍하는 견장을 흔들며 왕에게 아뢴다.

"요동새17는 워낙 견고해서 단번에 성안으로 들어가면 불리합니다. 먼저 적군을 유인해 낸 다음 사구18 뒤에 복병을 매복시켰다가 허리를 잘라 양쪽에서 공격해야 승산이 있습니다."

조불의 말을 받아서 중군장19인 모리가,

"그렇습니다. 며칠 안으로 성을 함락시키지 않으면 본토에서 구원병이 올 것입니다. 우선 본토와 교통이 안 되도록 성을 포위한 다음에 싸움을 시작해야 됩니다."
한다.

---

17 요동새(遼東塞): 요동(遼東)의 요새.
18 사구(砂丘·沙丘): 바람이 몰아쳐 이루는 모래 언덕.
19 중군장(中軍將): 각 군영의 대장 밑에서 군대를 통할하는 장수.

요동새 내에 있는 현도성은 본토와 거리가 가까우므로 자칫하면 막강한 구원병이 몰려올지도 모르는 일이었다. 속전속결20로 함락시켜서 성주21의 목을 베어야만 될 것이다.

"음, 조궁장이를 들라 하여라."

왕은 믿음직스러운 장수들을 둘러보면서 친위장 재모에게 분부한다.

잠시 후에 늙수그레한 조궁장이가 와서 무릎을 꿇었다.

"화전22도 준비되었는고?"

왕이 묻자 조궁장이는 더욱 고개를 조아리면서,

"예, 미리 다 준비해 두었사옵니다. 그러하오나……"
하며 사이를 둔다.

"그런데?"

"날씨가 이 지경이면 화살에 불을 붙여도 비바람에 꺼지게 될 것 같아 근심이옵니다."

---

20 속전속결((速戰速決): ① 싸움을 오래 끌지 않고 빨리 끝장을 냄. ② 일을 빨리 행하여 속히 끝냄.

21 성주(城主): ① 성의 우두머리. ② 조상의 무덤이 있는 지방의 수령. ③ 성을 지키던 으뜸 장수.

22 화전(火箭): 불을 붙여 쏘던 화살. 또는 화약을 장치한 화살.

"음, 알았다. 무슨 좋은 방책이 없는고?"

성안의 병사들을 밖으로 유인해내려면, 성에 불을 지르면 저절로 뛰쳐나온다. 그러나 비가 심하게 오면 화전을 쏴도 소용이 없다.

"예, 신 모리가 말씀 올리겠나이다."

중군장이 앞으로 나선다.

"미리 짚더미를 던져 놓은 다음 불을 지르고 나서 화전을 쏘면 습기가 말라서 화전이 꺼지지 않을 줄 아뢰옵니다."

"음, 좋은 생각이오."

왕과 장수들은 병정들과 똑같이 주먹밥으로 식사를 하고, 다시 출발 신호가 떨어지자 대군은 비바람을 뚫고 앞으로 나아간다. 신성에서 왕을 맞으러 나온 고노자 장군이 도착한 것은 얼마 뒤였다.

왕과 고노자는 말을 타고 가면서,

"그대는 북방을 방비하느라고 고생이 많소. 요즘 적정[23]은 어떠하오?"

하고 왕이 입을 연다.

---

23 적정(敵情): 적의 정세.

"예. 우리 대군이 공격해 온다는 것을 알고 모두 성안에서 꼼짝 않고 있습니다. 이따금 척후병이 어른거릴 뿐 아무런 일도 없습니다. 신성에도 만여 명의 우리 병정이 모여 있습니다."

"신성에 웬 군졸이 만여 명이나 된단 말이오?"

왕이 놀라서 묻는다.

"임금께서 친히 군사를 거느리고 현도성을 공략하러 오신다는 소문이 퍼지자, 흩어져 있던 남녀노소들이 모두 달려와 참전 시켜 달라고 하여 한동안 애를 먹었습니다. 전쟁을 하면 징병24하기가 힘든 게 보통인데, 이번 전쟁은 백성들의 사기가 이와 같으니 현도성을 함락 시켜 한족의 마수를 이 땅에서 몰아낼 수 있으리라고 생각됩니다."

"으음, 갸륵한 일이로다."

왕은 고노자의 말을 듣는 순간 눈을 감고 하늘에 감사했다. 전쟁은 병정의 사기에 그 승패가 좌우된다. 아무리 숫자가 많고 무기가 훌륭하다고 해도 그것을 부리는 병정의 마음가짐이 올바르지 못하면 그 전쟁에 이길 수가 없다.

---

24 징병(徵兵): 국가가 병역 의무자를 강제로 징집하여 일정한 기간 병역에 복무시키는 일.

그때 앞에서 왁자지껄한 소란이 일어나는 바람에 왕의 상념은 멈췄다. 재모가 달려갔다 와서 왕에게 보고를 한다.

"병사 하나가 민가에 가서 가축을 잡아 왔다 하옵니다."

"이리로 대령시켜라."

잠시 후에 병사 한 명이 왕 앞에 끌려왔다.

"왜 민폐를 끼쳤는고?"

"황공하옵나이다. 고기가 먹고 싶어서 그만 죽을죄를 지었나이다. 목숨을 살려주시면 큰 전공[25]을 세워 보답하겠나이다."

눈물을 뚝뚝 흘리는 그 병사는 열다섯 살쯤 돼 보이는 어린 나이였다. 왕은 문득 화를 피하여 국내성을 탈출하던 지난날의 생각이 떠올랐다. 그때 왕의 나이 열다섯이었다.

"고향에 부모님은 계시는고?"

"예, 홀어머님 한 분이 계시옵니다. 아버님은 몇 년 전에 궁중 역사에 나갔다가 돌에 깔려 돌아가셨나이다."

"으음, 네 홀어미는 과인이 알아서 여생을 돌봐 주겠다. 너는 군기를 어겼으니 벌을 받아야 되느니라."

---

25 전공(戰功): 전투에서 세운 공로.

"제발 목숨만은……"

병정은 흐느끼며 왕이 타고 있는 말 아래 엎드린다.

"여봐라. 이놈을 끌어내어 참수[26]하라!"

군기를 바로 세우기 위해서 왕은 눈물을 머금고 어린 병사에게 죽음을 내렸다. 어두워지기 시작할 무렵에 신성에 도착하였다. 3만의 대군이 밀어닥치자 성내는 병정들로 꽉 차서 발을 옮겨놓을 수가 없었다.

저녁을 먹인 다음 병정들을 둘로 나누어 반은 성 밖에 막사를 치고 야영을 시켰다. 밤늦게 척후병이 돌아와 보고를 한다.

"현도성은 요동성에서 온 원군과 합하여 병력이 5만을 헤아리는 대군으로 전투 준비를 하고 있습니다."

"음, 5만이라?"

소우와 조불은 우선 적병의 수가 아군보다 많은 것에 놀랐다.

그러나 고노자는 생각이 달랐다.

"5만이라고 해도 그중의 태반은 우리 겨레입니다. 강제

---

26 참수(斬首): 목을 벰.

로 끌려가서 있는 거니까 겁낼 것 없습니다."

그날 밤 왕의 막사에서는 다시 전략회의가 열렸다. 진군 대열을 다시 가다듬고 신성의 부대와 선봉 부대가 성에 불을 지르고, 전군과 중군이 적병을 맞아 싸우기로 하고, 후군은 퇴로를 차단하기로 했다. 기마부대는 각 군의 선두에서 적병의 대오를 교란시키고 보병들은 창과 칼을 앞세워 흐트러진 적병을 섬멸하기로 하였다.

"궁방에 말하여 화살을 많이 만들라고 이르라."

왕은 밤새 한잠도 자지 않고 내일의 회전27을 독려하고 있었다.

"칼은 모두 장도여야 한다. 적은 기마병이 많으니까 군도가 길지 않으면 써 보지도 못하고 말발굽에 채여 죽게 될 것이다."

성내의 부녀자들은 밤새도록 주먹밥을 만드느라고 한잠도 자지 못했다.

"새로 임금이 되신 분은 춘추가 이제 겨우 스물다섯이라죠?"

---

27 회전(會戰): 일정한 지역에 대규모의 병력이 집결해서 전투를 벌임. 또는 그 전투.

주먹밥을 빚던 아낙네가 말한다.

"스물다섯이라도 국량이 넓으시고 자애로우셔서 하늘이 우리에게 보내주신 성군이라지 뭔가?"

노파가 말을 받아서 한마디 하며 콧물을 쓱 닦는다.

"이번 전쟁에 승리하면 그 지긋지긋한 한족 놈들한테서 해방이 되겠구나."

"왜 임자도 당했는가?"

"아따, 안 당한 사람이 있나? 그놈들은 해만 저물면 여자 사냥을 다녔으니 말야."

"해가 저물면 이라니? 요즘은 더 굶주렸는지 대낮에도 그 지랄을 하지 않던가?"

"어이구, 몹쓸 놈들 같으니!"

"지금 말이지만, 글쎄, 지난가을에 애를 낳았는데 몇 달 키우고 보니까 이건 영락없는 한족 놈의 상판대기를 했지 뭐요?"

"아항, 그래?"

"그래 그만 목을 졸라 죽였지. 서방한테는 병으로 죽었다고 하고 속였더니, 아는지 모르는지 입맛만 쩍쩍 다시더구만."

"혼인날 받아놓은 처녀가 그놈들한테 능욕을 당하고 자

결을 한 일은 또 얼마나 많았다구."

이들에게 물자를 수탈당하는 일보다 더 괘씸한 것은 여자 사냥이었다. 여자에 굶주린 그들은 고구려의 마을로 들어와서 닥치는 대로 능욕을 하고 붙잡아 가서 보통 큰 문제가 아니었던 것이다. 여자들은 한 번 두 번 정조를 빼앗기면 혹시 놈의 자식을 낳지 않을까 두려워하여 극약으로 낙태시키는 일이 많아서 일찍 단산28을 하는 경우가 많았다.

호구의 수가 곧 국력의 성장일 수 있는 조건에서 이것은 치명적인 국력의 손실이 아닐 수 없었다. 이튿날은 이른 새벽부터 짙은 안개가 끼어 사방을 가렸다. 안개는 누르께한 빛을 띠고 있어서 바로 지호지간29도 보이지 않았다.

"안개가 심해서 어찌하면 좋을 것인지 난감하옵니다."

장수들은 왕의 막사로 몰려와서 걱정을 했다.

"이곳 지리에 밝지 못한 병사들이라서 안개 때문에 오늘 전투에 고생을 많이 하겠습니다."

---

28 단산(斷産): ① 아이를 낳던 여자가 아이를 낳지 못하게 됨. ② 아이를 낳지 않음.
29 지호지간(指呼之間): 손짓해 부를 만한 가까운 거리.

성을 굳게 걸어 잠그고 안개가 걷힐 때까지 개전30을 연기하자는 주장도 나왔다.

이때 고노자 장군이 앞으로 나오며 말한다.

"과히 염려 마십시오. 오히려 안개가 우리 병사들을 보호해 줄 수도 있는 일입니다. 저쪽은 성안에서 우리가 진격하는 것을 기다리는 입장이 아닙니까? 안개가 없으면 우리의 동작을 하나하나 환히 볼 수 있어서 접근하자면 희생이 많이 날 것이지만, 안개가 앞을 가려주고 있으니 더 다행한 일인 줄로 아옵니다."

"음……."

고노자 장군의 말을 들으니 그럴 법도 했다. 왕은 결심을 내려 동이 트자마자 선봉 부대와 신성의 부대를 출동시키기로 했다. 이들에게는 화전을 수십 개씩 배급했다. 부대의 맨 앞에는 짚더미를 실은 거(車)들이 나아갔다.

안개에 묻힌 신성은 삽시간에 벌떡벌떡 숨을 쉬며 용트림을 하기 시작하는 것이었다. 병기를 챙기는 소리와 놀라 깬 말들이 우는 소리, 대오를 정비하느라고 고함을 지르는

---

30 개전(開戰): 전쟁을 시작함.

소리가 한데 뒤엉켜 누런 안개 속에서 퍼지고 있었다.

선봉 부대가 현도성 성벽 밑에 짚더미를 쌓아놓은 것은 아침 해가 막 떠오를 무렵이었다. 짙은 안개 때문에 아침 햇살은 보이지도 않고 누런 안개를 시뻘겋게 물들여 불길한 징조를 띠게 할 뿐이었다.

"화전을 쏘아라!"

장수가 소리치자 앞에 나간 궁수들은 화살 끝 솜방망이에 불을 붙여 시위에 걸고 힘껏 당겼다. 안개 속을 헤엄쳐 가는 화전들은 그림같이 아름다웠지만 바람과 안개를 가르며 날아가는 속도 음은 씽씽 가슴을 써늘하게 해 주는 구석이 있었다.

중군에 자리 잡은 왕은 고수31를 시켜 북을 둥둥 울리며 독전32을 했다. 앞에서 진격하는 병사들이 보이지는 않아도 안개가 흔들리는 걸로 보면 모든 선봉 부대의 장병들이 진격을 하고 있음을 알 수 있었다.

"와! 와!"

벽력 소리같이 우렁찬 함성이 지축을 흔들었다.

---

31 고수(鼓手): 북이나 장구를 치는 사람.
32 독전(督戰): 싸움을 감독하고 사기를 북돋아 주며 격려함.

중군장 모리가 장수기를 번쩍 들고 외쳤다.

"앞으로! 앞으로!"

"와! 와!"

"놈들을 죽여라!"

중군도 순식간에 앞으로 진격해 나갔다. 전방에서 불기둥이 오르는 모습이 안개 속이지만 뚜렷하게 보였다.

후군장 말포를 불러 후군은 요동하지 말고 잠시 후에 사구 뒤로 전원 매복을 시키라고 엄명을 한 다음 왕은 말을 달려 앞으로 나갔다. 재모가 뒤를 따랐다.

"적병이 성에서 나와 응전을 하고 있답니다."

"알았다."

돌과 화살이 안개 속에서 비 오듯 날았다. 안개가 너무 짙어 피아33를 구별하기도 어려웠지만 병사들은 함성을 지르며 앞으로 앞으로 나갔다.

성에 가까울수록 환하게 안개가 틔었다. 성이 불붙고 있는 화염을 받아 안개가 사라졌기 때문이다.

"기병을 움직여라."

---

33 피아(彼我): 그와 나. 상대방과 우리 편. 저편과 이편.

"예."

소우가 칼을 휘두르며 앞으로 내달렸다.

"기병, 앞으로 진격!"

기병들은 다지창을 왼손에 비껴들고 오른손으로는 칼을 휘두르며 적병의 포진³⁴을 뚫었다. 적병의 진은 허리를 끊겨 양쪽으로 흩어진다. 앞으로 나갔던 기병들이 잠시 후에 되돌아 나오며 또 허리를 끊는다. 이 틈을 이용하여 보병들이 내달아 칼을 휘두른다.

적병의 목이 이슬처럼 우수수 떨어져 황토 벌에 뒹군다. 아군의 피해도 적지 않아서 기병이 반으로 줄었다. 주인을 잃고 울부짖는 군마들이 껑충껑충 뛰며 발광을 한다.

정오가 되도록 이와 같은 피아 공방전은 계속되었다. 나자빠진 시체를 건너뛰어 아군은 진격을 했다. 그러나 무턱대고 앞으로만 나아갔다가 뒤가 끊기면 포로가 된다. 그래서 앞으로 나갔다 뒤로 후퇴하는 전진 후퇴의 전법을 되풀이해야 했다. 후퇴해서 다시 대오를 정비하고 창과 칼을 양손으로 휘두르며 적진을 파고 들어가는 것이다.

---

34 포진(布陣): 전쟁·경기 따위를 치르기 위해 진을 침.

이렇게 한번 공격을 하고 물러 나오면 그때마다 칼과 창은 붉은 피로 물들어 있고 어떤 때는 적병의 모가지가 창에 그대로 꽂혀 있는 경우도 있게 된다. 선봉장 조불이 말을 달려 앞으로 나가며,

"적병의 선봉장은 앞으로 나와 썩 내 칼을 받아라!"

하고 벽력 치듯 소리를 지른다. 병정들이 멈칫하는 동안에 벌어진 일이었다.

"내 창을 받아라!"

맞은편 적진에서 창을 꼬나쥐고 장수가 나오며 조불을 맞는다. 여덟 팔 자 흰 수염을 휘날리는 적장의 화등잔같이 큰 눈에서는 시뻘건 불덩이가 뚝뚝 떨어진다.

"적장이 누군고?"

왕이 이 광경을 지켜보며 재모에게 묻는다.

"정파라는 명장입니다."

고노자가 옆에서 아뢴다. 정파와 조불의 승부는 쉽사리 나지 않았다. 두 마리의 용이 서로 먼저 등천하려고 피를 흘리며 싸움을 하듯 이리 엉키고 저리 엉켰다가 다시 풀려 나오는 두 장수의 싸움은 생동하는 한 폭의 그림처럼 아름다웠다.

병사들은 혀를 빼물고 이 광경을 지켜본다. 시뻘건 불빛

을 받아 일렁이는 황무35가 두 장수를 둘러싸고 너울너울 춤을 춘다.

"우리 국토를 침범한 놈은 내 칼을 받고 지옥으로 가라!"

조불이 소리친다.

"미친 소리 하지 말라! 너희들은 한낱 동이36가 아닌가! 대국을 위해 변방의 파수병 노릇을 해야 마땅하거늘 감히 반항을 하다니 괘씸한 노릇이구나!"

적장도 창을 휘두르며 껄껄 웃는다. 조불은 칼을 쑥 밀어 넣으며 적장의 심장을 도려내려는 듯한 바퀴 빙 돌린다.

"하늘이 민족을 내실 때는 모두 그 터전을 마련하는 법, 너희 한족들이 우리 땅에 들어와 약탈을 해 가는 것을 더 이상 못 참겠다! 자, 내 칼을 더럽히지 말고 말에서 내려 항복하라!"

"하하. 너희들은 우리의 문지기에 불과한 것. 너희들의 운명을 거역하지 말렷다!"

조불의 칼이 번쩍 빛을 발하는가 싶더니 이내 정파의 왼

---

35 황무(黃霧): 짙은 안개.
36 동이(東夷): 동쪽의 오랑캐라는 뜻으로, 중국 사람들이 그들의 동쪽에 있는 민족을 멸시하여 일컫던 말. 곧, 일본·만주·한국 등을 가리킴.

쪽 심장을 깊숙이 파고든다. 정파의 창도 조불의 목을 겨냥하고 날아온다. 조불의 칼이 적장의 심장을 찌른 것과 동시에 적장의 창은 조불의 왼쪽 귀를 도려낸다. 눈 깜짝할 사이의 일이었다. 적장의 몸이 말 위에서 기우는 것을 본 순간 조불은 성큼 다가가서 목을 쳐서 칼끝에 꽂고 돌아온다.

병정들이 와와 함성을 지르며 앞으로 내달린다. 돌과 화살이 비 오듯 쏟아지고 기병들은 창을 휘두르며 앞으로 나아간다.

"조불 장군, 수고했소!"

적장의 머리를 칼에 꽂고 돌아온 조불을 맞아 왕은 치하를 한 다음,

"이 보검으로 더 큰 전공을 세우기 바라오."

하고 칼자루에 용이 조각된 보검을 장군에게 준다. 조불의 왼쪽 귀가 있던 자리에서 피가 뚝뚝 떨어진다.

"안개가 점점 심해지는 것 같습니다. 이 틈을 타서 돌격대를 성안으로 보내는 게 어떠하온지요?"

중군장 모리가 왕에게 아뢴다.

"그게 좋겠구나. 병졸의 희생이 너무 많으니 돌격대를 편성하라."

왕의 분부가 내리자 중군장은 정예부대를 편성한다. 날랜 병사 3천 명으로 대원을 삼고 대장에는 중군장이 자원해서 앉는다.

"적군을 성 밖으로 유인하라. 후군은 사구 뒤에 매복했다가 적군의 꼬리를 치라!"

명령이 떨어지자 아군은 패하여 도망하는 체하고 일제히 후퇴를 한다. 적군은 이 틈을 놓칠세라 바짝 뒤따라오며 화살을 쏜다.

한편 돌격대는 안개 속에 숨어서 성안으로 진입하려고 행동을 개시한다. 도망가는 듯했던 고구려군은 후군이 모래언덕 뒤에서 함성을 지르며 뛰어나오는 것을 신호로 일제히 말머리를 돌려 적을 친다.

갑자기 복병을 만나 당황한 적군은 갈팡질팡하여 앞뒤에서 달려드는 고구려군에게 헤아릴 수 없이 목숨을 잃는다. 날이 어두워질 때까지 피비린내 나는 살육전은 계속되었다. 워낙 양군의 숫자가 많아서 황토벌이 피로 시뻘겋게 물들어도 싸움은 끝이 나지 않는다. 시산혈해37라더니, 이걸

---

37 시산혈해(屍山血海): 사람의 시체가 산처럼 쌓이고 피가 바다같이 흐른다는 말.

두고 한 말인가 보았다.

차츰 현도의 군사들이 무기를 버리고 도망치기 시작한다. 고구려 군사들도 그제서야 피에 젖은 칼을 휘두르며 다시 대오를 정비한다.

"성을 향하여 진격하라!"

"오늘 저녁밥은 현도성에서 먹기로 하자!"

"와!"

"와!"

"한족의 씨를 말려라!"

몇백 년 동안 그들의 핍박을 받았던 고구려 사람의 피는 적개심으로 끓어오르고 있었다. 성에서는 돌격대와 적의 수비대가 결전을 벌이고 있는 중이었다.

돌격대장 모리는 미친 듯이 칼을 휘두르며 적병을 닥치는 대로 마구 베면서,

"목숨을 바쳐서 성을 함락시켜라! 성주의 목을 베어라!"

하며 독전을 한다.

이때 등 뒤에서 날아온 화살이 모리의 뒤통수에 박힌다. 모리는 손으로 얼른 화살을 빼내어 화살이 날아온 방향으로 힘껏 던진다. 기둥 뒤에 숨어서 화살을 쏘았던 적병이 그 화살에 가슴을 꿰뚫린 채 퍽 쓰러진다. 모리의 머리에서

피가 콸콸 쏟아져 내린다. 모리는 그것도 모르고 정신없이 싸우다가 거목이 넘어지듯 쿵 하고 땅바닥에 쓰러져 버린다. 군사들은 저마다 적을 맞아 싸우느라고 장수가 쓰러지는 것도 모른다.

어둠이 깔릴 무렵이 되어 성안으로 고구려 군사들이 물밀 듯이 밀려들어 왔다. 망루 위에는 고구려의 군기가 게양되고 군악병은 승리의 북을 둥둥 두드린다.

"포로를 집합시켜라!"

장수들이 명령을 한다. 무장 해제된 포로들은 두 손을 머리 위에 얹고 한 줄로 늘어선다. 성의 건물이 불타면서 내뿜는 화광38에 성안은 대낮처럼 밝다. 화염에서 뿜어져 나오는 냄새와 땅에 깔린 시체에서 나는 피 냄새가 뒤엉켰다.

"이렇게 순식간에 함락될 줄은 몰랐습니다."

고노자가 피투성이가 된 얼굴을 들어 왕에게 아뢴다.

"군신들의 충성심이 하늘을 찌를 것같이 높기 때문이오."

왕은 이렇게 말하며 갑자기 눈썹을 치켜세우더니, 전동

---

38 화광(火光): 불빛.

에서 화살을 쑥 뽑아 성벽 밑으로 휙 던졌다.

"어이쿠!"

어둠 속에서 비명이 들린다.

군사들이 놀라 우루루 뛰어간다.

"저격병입니다."

재모가 저격병을 붙잡아오면서 소리친다. 화살을 가슴에 맞은 저격병은 입에서 피를 흘리며 왕 앞에 끌려와서 푹 고꾸라진다.

"성을 샅샅이 뒤져 경계를 철저히 하라!"

소우가 명한다.

"사지를 찢어서 성문에 내다 걸어라!"

그는 저격병을 향해서 분부를 내린다. 군사들이 달려들어 사지를 칼로 도려낸다.

"철저하게 몰살을 시켜야 됩니다. 한족들은 워낙 곰같이 꿍꿍이속이 깊어서 아주 단단히 혼을 내야 후환이 없을 것입니다."

왕을 저격하려던 적병은 사지가 찢겨 성문에 항기39처럼

---

39 항기(降旗): 항복의 뜻을 나타내는 흰 기. 백기(白旗).

내걸렸다.

"일반 백성은 가혹하게 다루지 말도록 하라."

왕은 장수들에게 분부한다.

"중군장은 어디 있는가?"

왕은 그제서야 돌격대장 모리가 없는 것을 알아차리고 큰소리로 묻는다.

"예, 지금 군의가 돌보고 있습니다."

재모가 대답했다.

"출혈이 심해서 목숨이 경각에 있습니다."

왕은 몸소 군의 막사로 가서 모리를 살펴보았다. 중군장은 이미 숨이 넘어가려는 중이었다. 왕이 가자 막 감기려는 눈을 뜨고 들릴 듯 말 듯 한 목소리로,

"조업을 만대에 전하시어 창맹(蒼氓)의 안녕을 이루어 주소서……."

하고 말하자마자 숨이 넘어갔다.

왕은 두 줄기 눈물을 뚝뚝 흘리며 장군의 죽음을 슬퍼한다.

"적장은 모두 죽었는가?"

"예, 선봉대장 정파는 조불의 손에 죽었고 나머지 장수들은 모두 도망을 쳤습니다."

"태수를 잡아 오너라."

왕은 아직도 불타고 있는 건물 앞에서 추상같이 분부를 내린다. 난민들의 울부짖음이 계속해서 들려오고 있었다. 어버이를 잃고 우는 어린것들의 소리도 들려온다. 잠시 후에 현도군의 태수가 왕 앞에 끌려왔다. 비대한 몸집을 한 태수는,

"헤헤, 우리 사람 평화 좋아해요. 고구려와 화평하게 지내면 서로 피흘림도 없을 거요."

하며 손을 싹싹 비빈다.

"평화를 좋아한다구? 이놈 아주 음흉하구나."

왕은 혀를 끌끌 찬다.

"고구려 백성들한테서 뺏은 재물은 어디 쌓아놓았는가?"

"창고 안에 수북하게 쌓여 있소. 그러나 아직 우리 조정에서 하달된 목표량엔 훨씬 미달이오."

"괘씸한 놈 같으니!"

왕은 이를 뿌드득 갈았다.

이들은 고구려의 특산물을 모두 수탈하여 가고 있었다. 비단 · 호피40 · 박달나무 · 철 · 패석41 등에서부터 장백산맥

---

40 호피(虎皮): 범의 털가죽.
41 패석(貝石): ① 조개의 화석. ② 조가비가 많이 붙은 돌.

에서 나는 금옥42 · 도라지 · 버섯 · 각종 약초를 거두어 갔다.

왕은 군신들을 모아 놓고 태수를 어떻게 처리할까를 궁리했다.

"참수를 해야 되오리다."

"안 되오. 참수를 하면 원한만 깊어져서 후환이 있을 것이오. 항서43를 받는 게 좋을 듯합니다."

"항서를 받아 봐야 아무 쓸모가 없습니다. 성을 모조리 불태우고 모두 포로로 잡아 압록강 이남으로 옮겨 노역을 시키는 게 옳습니다. 그동안 고구려 백성이 이놈들한테 당한 것을 생각하면 그렇게 해도 한이 남습니다."

강경한 쪽과 온건한 쪽이 서로 주장을 펴나갔다. 왕은 강경한 쪽의 의견을 따라 태수를 참수하여 성 밖에 내걸고 창고에 있던 재물을 풀어 군사들에게 나누어 주었다.

주민들 가운데는 고구려인이 많은 편이었다. 붙잡혀 와서 부역을 하거나 노비 생활을 하고 있는 백성들이었다. 이들에게 곡식을 풀어 내주고 위무하였다. 부역을 한 죄로 목

---

42 금옥(金玉): 금과 옥.
43 항서(降書): 항복의 뜻을 적어 상대에게 보내는 글. 항복서.

이 날아갈 줄 알았던 백성들은 왕 앞에 무릎을 꿇었다.

"신성 태수는 이들을 신성으로 옮겨 살게 하고 기름진 농토를 주도록 하여라. 백성들에겐 아무 죄가 없는 법, 나라가 잘못한 책임이 있으니 모두에게 짝을 맞춰 자식을 낳아 기르게 하기

바란다. 북방에는 우선 인구가 많아져야 되느니라."

왕의 분부가 떨어지자 백성들은,

"몸을 바쳐 충성을 하여 오늘의 부끄러운 죄를 씻어 은혜에 보답하여 드리오리다."

하며 엉엉 운다. 희생이 제일 적게 난 후군에서 그날 밤 경비를 맡고, 나머지 군사들은 배불리 먹이고 쉬도록 했다.

그러나 난생처음 대격전을 치르고 난 병정들은 쉽게 잠이 오지 않았다. 하늘을 올려다보니 무수한 별들이 반짝이고 있었다. 성 주위로는 아직도 안개가 짙게 드리워져 있으나, 온종일 화염에 싸였던 성은 열기 때문에 안개가 다 사라져 있었다.

"이봐! 자네 아까 임금께서 화살을 던지는 광경을 보았나?"

망루에 올라 파수를 하는 병정이 동료에게 묻는다.

"보다마다. 임금은 하늘이 내신 영웅이야. 캄캄한 곳에

숨어서 활을 쏘려는 저격병을 어떻게 알아차리고 화살을 쏘셨을까."

"이 사람아, 화살을 쏜 게 아니라 던진 거야. 맨손으로 말이야."

"아 참, 그렇구먼. 우리 같은 범인으로야 상상도 못 할 일이야."

"화살 끝에 눈이 달려 있는 것 아닌가? 그러니까 명중을 시키지."

"예끼, 이 사람. 화살에 눈이 달리다니 그게 무슨 말이야. 그런 분은 온몸과 귀에 눈이 달려 있단 말일세."

"아무튼 놀라운 일이야."

건너편 안개가 자욱하게 이어져 간 끝에서 화염이 솟아오르는 게 보인다. 파수병들은 긴장하여 그쪽을 주시한다. 화염은 잠시 후에 꺼져서 흔적 없이 사라진다.

"오늘 싸움처럼 치열한 전투는 처음이네."

"자네, 적병을 몇 명이나 죽였나?"

"그걸 어떻게 아나? 그냥 무턱대고 창을 휘두르며 내달렸는데 이따금 창끝에서 퍽퍽 소리가 나더군."

"적의 대갈통을 꿰뚫는 소린가?"

"모르겠네. 놈들을 쳐부수니까 속이 다 시원하이."

"누가 아니래나. 그놈들 거드럭거리며 우리를 동쪽 오랑캐라고 깔보더니만 옹골싸게 당했지."

안개 너머에서 화염이 또 오르고 있다. 파수병은 칼을 빼들고 주시하다가 느닷없이,

"큰일 났다!"

하고 외친다.

"아까 도망친 놈들이 다시 집합을 해서 쳐들어올 모양이야."

"맞았다. 웅성대는 소리도 들리는 것 같다."

이 소식은 곧 후군장 말포에게 전달되었다. 급히 망루로 올라온 말포는 화염이 일어나는 쪽을 유심히 주시하고는,

"아니다. 지금 당장 쳐들어오는 게 아니라, 야영을 하는 모양이다. 불빛이 움직이지 않고 그 자리에 가만히 있지 않은가?"

하며 망루를 내려간다.

말포는 원래 서부의 대형으로 무인이 아니라 문인이었다. 또한 그는 소노부족의 맹주44의 후손으로, 왕이 계루부

---

44 맹주(盟主): 맹약을 맺은 사람이나 단체를 대표하는 책임 있는 사람.

족에서 나오기 전까지는 고구려 연맹 세력의 중추적인 역할을 하던 부족의 피를 물려받은 귀족이었다.

그래서 그는 자존심이 강하고 자기의 판단력을 과시하는 버릇이 있었다. 이날 밤 성 저편에서 피어오르는 화염을 보고 자기 나름의 속단을 내린 것도 이런 천성 때문이었다.

그날 밤 자정이 훨씬 넘어 패주했던 한인들이 다시 쳐들어왔다. 한밤중에 당하는 일이라 고구려 군사들은 당황해서 우왕좌왕하며 이리저리 부딪쳐 뒹구는 군사가 부지기수였다.

왕은 즉시 막사에서 뛰어나와,

"성벽에 짚더미를 쌓고 빨리 불을 질러라!"

하고 고함을 친다.

성벽에서 빙 둘러가면서 불길이 오르자 성안은 대낮같이 밝아져서, 그제서야 고구려 군사는 적을 맞아 싸우기 시작한다. 적병은 소수의 돌격대로서 곧 목이 잘리거나 포로가 되었다. 태풍이 지나간 것처럼 성안에는 다시 고요가 깃들고, 포로를 문초하는 소리만 뜰에서 들린다.

"파수병을 데려오너라."

곧 망루에 있던 파수병이 끌려와서 엎드렸다.

"모든 전우의 목숨을 지키기 위해서 파수를 서는 것이 아닌가? 너희들이 직무를 태만히 하여 많은 군사들이 희생되었으니 그 죄를 무엇으로 갚을 것인가?"

"백번 죽어 마땅하옵나이다."

이때 말포가 왕 앞으로 나오며,

"소신의 잘못입니다. 저들은 죄가 없으니 살려 주십시오."

하고, 미처 대답할 틈도 없이 칼을 가슴에 안고 푹 고꾸라진다.

"아니, 말포 장군이 웬일이오? 빨리 군의를 불러라!"

왕이 다급해서 소리쳤으나 이미 말포는 숨이 넘어간 뒤였다. 아무리 장수라도 자기의 실책으로 아군에게 피해를 주면 그 책임을 통감할 줄 아는 것은 고구려군의 군기에 속했다.

"저희들도 잘못이 있나이다."

파수병들도 칼을 물고 땅에 엎어지며 피를 토하고 자결을 한다.

"음, 아까운 일이로다."

그날 밤 왕은 잠이 오지 않았다. 중군장 모리와 후군장 말포를 잃고 나자 왕은 자꾸 불안한 생각이 드는 것이었다. 더구나 조불도 한쪽 귀가 달아나 버리지 않았는가. 왕은 장재45를 아껴야 되거늘 한 번 원정에 두 장수를 잃었으니 마음이 쓰리도록 아팠다.

그럴수록 왕의 가슴에서는 적개심이 불타올랐다. 날이 밝아도 누런 안개가 여전히 겹겹으로 끼어 시야를 차단했다. 고구려 군사들은 부대를 재편성해야 했다. 어제의 격전에서 희생된 자가 워낙 많았고 두 장수 모리와 말포가 죽어서 중군을 없애고 선봉장 소우를 후군장으로 삼아, 전군·후군의 양 부대로 재조직해야 했다.

노획한 무기와 군마가 많아서 기병 부대의 수를 대폭 늘리고 친위대장 재모를 기병 부대의 장수로 삼았다. 궁방에서는 화살을 만들고 날이 문드러진 칼과 창을 다시 갈도록 분부를 하고, 모래와 황토로 뒤덮인 벌에 양익46으로 진을 쳤다.

어제의 싸움에서 성을 버리고 달아났던 적병들도 사구 뒤에서 진을 치고 이쪽에서 웬만큼 싸움을 돋우어도 나와서 응전하지 않고 화살만 쏘아 댔다. 한낮이 되도록 이런 소강상태가 계속되었다.

---

45 장재(將材): 장수가 될 만한 훌륭한 인재.
46 양익(兩翼): 중군(中軍)의 좌우 양쪽에 있는 군대.

그 사이에 왕은 전복을 입은 채 활만 메고 진지를 두루두루 돌아다니며 병정들의 사기를 살펴보았다. 왕의 전복에도 누런 흙먼지가 묻어서 언뜻 보면 일개 졸병의 차림새나 다름이 없었다.

　그는 원래가 서민적이었다. 이런 성질은 그가 야인으로 방랑할 때부터 더욱 몸에 밴 것이어서, 처음 즉위를 하고 나서 금은 장식이 반짝반짝하는 어의를 입었을 때 도무지 갑갑해서 견딜 수가 없었다. 그래서 정사47가 끝나면 간편한 차림으로 말을 타고 소년 시절에 늘 사냥을 하던 지석묘 근처 숲속으로 달려가서 화살을 쏘곤 했다.

　현도군을 공략하기 위해 대군을 이끌고 왕성을 떠난 다음부터도 마음속으로는 끝없이 퍼져 나간 대륙의 벌판을 마구 내달리고 싶은 생각이 굴뚝같았다. 하지만 한 나라의 왕으로서, 지고지엄48한 어버이로서의 체통 때문에 그럴 수가 없었던 것이다.

　왕이 진지를 돌아다니며 병정들과 어울려 이것저것 이야기를 나눌 때, 어떤 병정은 그가 왕인 줄도 모르고 농담을

---

47 정사(政事): 정치상의 일. 행정상의 사무.
48 지고지엄(至高至嚴): 더할 수 없이 높고, 매우 엄함.

해 대기도 했다.

"이봐. 어슬렁거리며 다니지 말게. 장군에게 들키면 벼락 맞네."

"똥 누고 밑 안 닦은 놈처럼 왜 엉거주춤해?"

"두고 온 마누라 궁둥이가 그리운 모양인가?"

왕은 껄껄 웃으며,

"하긴 마누라 궁둥이 생각이 아주 간절하이."

한다. 이렇게 말할 때의 그의 표정은 정말로 아내를 그리워하는 남편으로서의 꾸밈없는 모습이 된다. 또한 세 살 난 아들 사유의 귀여운 모습을 보고 싶어 하는 젊은 아버지의 얼굴이 된다.

재모가 급히 달려와서 왕을 모셔가지 않았으면 그는 자기가 왕이라는 사실도 잊고 병정들과 어울려 팔씨름이라도 했을 것이었다. 재모는 왕이 병정들 틈에서 껄껄대며 웃는 모습을 보고 기겁을 해서,

"아직도 저격병이 노리고 있을지도 모릅니다."

하며 막사로 안내해 갔다. 한낮이 가까워서 장수들을 모아 놓고 어전회의를 열었다.

"적들이 움직이지 않으니 어떡하면 좋겠소?"

"좀 더 기다려 보는 것이 좋을 듯합니다. 지금 병졸들이

어제의 싸움에서 많이 지쳤으니 좀 더 기다리고 있다가 적의 태도를 보는 것이 좋을 듯합니다."

"예 그렇습니다. 적은 곧 식량이 떨어질 것입니다. 그때를 기다려 급습하는 것이 좋을 듯합니다."

장수들의 의견은 한결같았다.

"포로로 잡은 적군은 몇 명이나 되는가?"

"예, 5천을 헤아립니다."

"그중에는 고구려의 피를 받은 자도 상당수에 달합니다."

"알았다. 잘 조사하여 귀화시킬 자는 신성에 데려가게 하고 나머지는 남쪽으로 데려가기로 하자."

바람이 몹시 불어서 날씨가 겨울처럼 매웠다. 끈끈하고 눅눅한 안개가 끼어 기침을 하는 병사들의 수도 점점 늘고 있었다. 왕은 빨리 여기 일을 수습하여 회군49하고 싶었다. 그렇다고 지금 당장 군사를 이끌고 돌아가면 다시 적병들이 쳐들어와서 성을 점령할 것이다. 창조리에게 일임하고 온 왕성50의 일로 궁금했다. 저녁때가 되었다.

---

49 회군(回軍): 군사를 돌이켜 돌아가거나 돌아옴. 환군(還軍).
50 왕성(王城): ① 왕도(王都). ② 왕도의 성.

"급히 아뢸 말씀이 있다고 조불 장군이 왔습니다."

시중을 들던 신하가 왕에게 달려와서 아뢰었다.

"들라 하여라!"

왕은 막사 안에 있다가 벌떡 일어서며 그를 맞았다.

"적장이 투항을 해 왔습니다."

"항복을 했다구?"

조불 뒤에는 무장이 해제된 적장이 무릎을 꿇고 있었다. 몸집은 자그맣지만 위로 치켜 째진 눈에는 표독한 살기가 어리고 있었다.

"우리도 더 이상의 살생은 하고 싶지 않다. 그대는 곧 군사를 거두어 성으로 오되 우리 군사들에게 모든 무기를 미리 넘겨주기 바란다."

"황공하옵나이다."

적장은 머리를 숙였다.

"군졸의 수는 얼마가 되는가?"

"예, 겨우 만여 명에 불과합니다."

"알았다. 이미 태수도 참수되었거늘 공연히 이심51을 품

---

51 이심(異心): ① 딴마음. ② 이심(二心).

지 말라."

왕은 위엄있게 말하고 나서 고개를 쳐든 적장의 얼굴을 유심히 보았다. 그 순간 이상한 예감이 들기 시작했다. 항복한 적장한테서 무서운 살기가 나오고 있었다.

잠깐 동안 침묵이 흘렀다.

왕의 손이 활을 잡은 것과 적장이 벌떡 일어나서 이리같이 왕에게 대든 것은 거의 동시의 일이었다. 적장은 품속에서 단도를 빼 들고 왕을 시해[52]하려 했으나 민첩한 왕이 재빨리 피하는 바람에 왼손 새끼손가락만을 해쳤다. 조불이 뛰어들어 적장을 뒤에서 껴안은 것과 왕의 왼손 손가락이 땅바닥에 떨어진 것도 동시의 일이었다.

"무엄한 놈!"

왕은 적장을 보고 꾸짖었다. 적장은 혀를 깨물고 자결하려 했으나 이를 눈치챈 군사들이 입에 재갈을 물리는 바람에 미수에 그쳤다.

"거짓으로 항복을 하는 체하고 간교를 부렸구나!"

"황공하옵니다."

---

52 시해(弑害): 부모나 임금을 죽임. 시살(弑殺).

조불이 무릎을 꿇고 비통하게 말을 했다.

"안 되겠다. 날이 저물기 전에 적을 공격하라!"

"예."

"적은 지금 한군데 모여 있으니, 전군 후군이 일시에 급습하여 한 놈도 남기지 말고 무찌르도록 하라!"

곧 진군나팔이 울렸다. 군사들은 양 날개를 펴고, 독수리가 병아리를 잡으러 내려앉듯 모래 언덕을 향하여 쏜살같이 내달렸다. 겹겹이 둘러싸인 안개를 헤치며 기마병이 먼저 언덕 위로 올라갔다. 그러나 언덕 뒤에는 예상했던 적군은 보이지 않고 군기만 여기저기 꽂혀 있을 뿐이었다. 군기 아래로는 수천을 헤아리는 적병의 시체가 즐비하게 쌓여 있었다.

소우와 재모는 그런 광경을 보고 눈이 휘둥그레져서 입을 딱 벌렸다. 군사들도 마찬가지였다.

"이상하다."

"웬 시체만 이렇게 많을까?"

그때 시체 속에서 꿈틀대는 움직임을 보고 병사가 달려가서 그자를 잡아 왔다. 머리에 칼을 맞았지만 아직 목숨이 붙어 있는 자였다.

"나머지 군사들은 다 어디로 갔는가?"

소우가 언덕이 쩡쩡 울리도록 큰소리로 물었다. 그 바람에 적병은 눈을 반쯤 뜨고 올려다보며,

"모두 본국으로 도망을 했습니다."

하고 다시 눈을 감는다.

"너희들은 누구의 손에 죽었는가?"

"예, 우리는 원래 한족이 아니라 조선의 후손들입니다. 그래서 그들이 도망을 가면서 조선의 피가 섞인 사람은 모두 이 꼴을 해 놓고 갔습니다."

"음."

끔찍한 일이었다. 피가 물보다 진하다는 말도 있지만, 아무리 피가 다르다고 이토록 처참하게 살육을 하다니 등골이 오싹한 일이었다. 거짓으로 투항을 해 왔던 적장을 문초한 결과 진상이 밝혀졌다.

"어제의 싸움에서 5만의 병력이 고구려군에게 참패한 것도 바로 그놈들 때문이오. 우리들의 실책이었소. 그놈들을 전투에 내보내는 게 아닌데 실수를 했던 것입니다. 하긴 황무 때문입니다. 앞을 가리는 짙은 안개 때문에 피아 구별이 안 되는 전투였습니다. 그래서 조선의 피를 물려받은 놈들은 우리 군사들한테 칼을 휘둘렀습니다. 그러니 그놈들을 살려둘 수 있습니까?"

왕은 그 이야기를 들으며 가슴이 터지는 것 같은 말 못할 희열을 느끼고 있었다. 민족의 본능이라는 게 있는 것일까. 어두운 데서도 자기 겨레를 알아보는 본능이 있는 것일까.

어제의 대전이 의외로 손쉽게 아군의 승리로 끝난 것도 그 뒤에는 이러한 이유가 있었다. 그들이 아무리 한족의 군현에서 살며 모든 풍속을 따랐다고 해도 핏속에 흐르는 민족의 본능은 자신도 모르는 사이에 남아 있었을 것이다. 그들이 의식적으로 한족 군사들에게 칼을 쓴 것은 물론 아니다. 누가 누군지를 분간하기 어려운 안개 속에서 전쟁을 하게 되었고, 그러나 전쟁은 반드시 누군가를 향해 창과 칼을 써야 하고 화살을 쏴야 한다. 그럴 때 본능적으로 적군을 식별해야 하는데, 그들한테는 고구려군이 적이 아니라 한족 군사들이 적이었던 것이다.

이것은 무서운 일이다. 아무리 권력을 동원해서 백성을 억누르고 이민족을 통치해도 그들의 마음과 핏속에 흐르는 민족의 근원은 없앨 수도 막을 수도 없는 일이었다.

포로로 잡은 만여 명의 적군 속에도 조선의 피를 받은 병졸이 많을 것이었다. 왕은 그들을 추려서 신성에 남겨두고 나머지는 회군할 때 남으로 이송하리라 마음먹었다.

거짓 투항해 온 적장은 참수되어서 죽어서도 음흉한 낯짝을 하고, 포로들이 수용돼 있는 막사 앞 광장에 내걸렸다.

"너희들 중에 옛 조선이나 고구려의 피를 받은 자는 앞으로 나오라!"

재모가 외쳤다. 왕은 그러한 광경을 가만히 지켜보고 있었다.

아무도 나오지 않았다. 너무 오랫동안 한족의 군현 지배에서 대대로 살았기 때문에 자기가 조선의 후손인지 아닌지도 모르는 것 같았다. 당연한 일이었다.

"조선의 피를 받은 자는 앞으로 나와라!"

"……."

"앞으로 나와!"

"……."

누런 안개는 점점 기승을 떨며 군졸들을 괴롭혔다. 황사를 동반하고 있는 안개는 숨을 탁탁 막아서 한참만큼씩 휘이 하고 심호흡을 하지 않으면 가슴이 꽉 막혀 왔다.

"안되겠습니다. 이놈들은 모두 다 한족의 후손들인 것 같습니다. 남쪽으로 데려가서 노비로 삼는 게 좋겠습니다."

재모가 왕에게 아뢴다.

왕은 이때 빙그레 웃으면서 군신들을 휘 돌아본다.

"그렇지 않소. 이 많은 사람이 모두 한족일 리는 없소. 여기는 원래 우리 조상들이 살던 영토요. 한인들이 악랄하게 식민 통치를 하는 상황에서 대대로 살아와서 자기의 핏줄을 모르고 있을 뿐이오."

"그러하오나, 누가 한인이고 누가 조선의 후손인지 분간하기가 어렵지 않습니까?"

"하긴 그렇소."

왕은 심호흡을 하고 나서 시야를 가로막는 안개를 손으로 휘젓는다. 새끼손가락이 잘려 나간 왼손에 찌르르 하는 통증이 온다.

왕은 뜰로 내려와서 지그시 눈을 감고 포로의 대오 사이로 들어간다.

"위험하옵니다."

재모가 왕의 귓가에 말하며 따라온다.

"알았다. 내가 지금부터 우리의 동족을 찾아내겠다."

왕은 이리저리 거닐며 포로들을 하나하나 유심히 본다. 아니, 보는 것이 아니라 지그시 눈을 감고 포로 하나하나마다 그 앞으로 바싹 다가서서 냄새를 맡는다.

"너, 앞으로 나가라."

왕에게 지명 받은 포로는 순순히 대열에서 빠져나와 앞으로 나간다.

"너도 앞으로."

왕은 신들린 사람처럼 포로들 사이를 누비며,

"너!"

"너!"

"너!"

하고 포로들을 지적한다.

얼마 후에 앞으로 나간 포로는 2천여 명에 이르렀다.

"역시 우리 임금은 하늘이 내신 분이로구나."

군신들은 혀를 끌끌 차며 탄식을 한다. 동족을 찾아내는 왕의 신기에 하늘도 놀라는 듯한 순간 황무가 걷히며 막 넘어가려는 태양이 그 얼굴을 드러내어 눈부신 햇살을 광장 한가득히 쏟아붓는다.

나머지 8천여 명의 포로와 왕이 골라낸 2천여 명의 포로는 그렇게 갈라놓고 보니 정말 상판대기가 차이가 났다. 같은 동양 사람이면서도 민족이 같고 다름에 따라 얼굴 모양이나 골격이나 저마다의 특수한 형을 지니고 있는 것이다. 한족들은 이마가 넓고 살결이 약간씩 회색빛이 나지만 한

민족53은 이마가 곧고 피부가 흰 것이다.

2천여 명의 포로는 신성 태수 고노자가 인계받아 그날로 신성으로 옮겨놓고, 나머지는 압록강 이남 지방으로 데려가서 아직 호구가 들어서지 않은 지방으로 분산 이주시켜서 서서히 그들의 몸과 정신을 귀화시키기로 작정하였다.

현도군에서 닷새를 묵고 고구려의 대군은 서서히 남쪽으로 회군하였다. 현도성은 다시는 한민족이 발을 못 붙이게 우물을 메우고 집을 불살랐다. 창고의 곡식은 모두 우마54와 거(車)에 실어 신성으로 옮겼다.

고구려군이 이 싸움에서 노획한 수만 가지의 무기는 값진 것이었다. 또한 막대한 식량은 고구려의 온 백성을 1년 동안 먹여줄 수 있는 곡식에 해당되었다. 그러나 그러한 막대한 곡식은 모두 고구려의 영토에서 고구려의 사람이 경작한 것을 그들이 수탈해 간 것이므로 내 물건을 도로 찾은 거나 다름없는 일이었다.

"대왕께서 한족을 몰아내시고 옛 선조들의 영토를 도로

---

53 한민족(韓民族): 한반도 전역에 사는 민족. 한족(韓族). 배달민족.
54 우마(牛馬): 소와 말.

찾아 창생들을 구하셨으니 이는 대왕의 큰 은혜인 줄 아옵니다."

군신들은 입을 모아 왕을 칭송하였다. 왕은 잘려 나간 새끼손가락을 현도군의 성터에다 땅을 파고 묻었다.

회군하는 날은 안개가 걷히고 바람도 잔잔하였다. 쾌청한 하늘이 아름답게 드리운 아래로 끝없이 퍼져나간 광막한 대륙을 남하하는 군사들은 발걸음도 가벼웠다.

현도군 원정으로 고구려는 많은 국력을 소모하였지만 얻은 것도 많았다. 자주적인 국력의 발양에 대한 자신을 얻게 된 귀중한 전쟁이었다. 수세55에만 몰려 있던 고구려가 대규모의 병력을 동원하여 한족의 동방 거점을 공략56 파괴할 수 있는 힘을 내외에 공표한 전쟁이기도 했다.

비록 전쟁에서 수천 명의 희생이 생겼다고 해도 그 대신 2천여의 동족을 구할 수 있었고 8천여의 포로를 잡아 올 수 있었던 것도 귀중한 인력57의 확보였다.

---

55 수세(守勢): 적을 맞아 지키는 형세. 또는 힘이 달려 밀리는 형세.
56 공략(攻略): 적지·적진을 공격하여 빼앗음.
57 인력(人力): ① 사람의 힘. ② 인간의 노동력.

무엇보다도 중요한 것은 상하가 일치단결하여 국난을 극복하여 치자58와 피치자59의 간격을 해소하고 민족의 일체성을 재확인할 수 있었다는 것이다.

---

58 치자(治者): ① 한 나라를 다스리는 사람. 치인(治人). ② 권력을 쥔 사람.
59 피치자(被治者): 통치를 받는 사람.

4. 바람이 서쪽에서 불어오다

　서기 304년 봄에 백제에서 사신 황인이 고구려에 왔다. 백제 비류왕 원년이었다. 바로 그해 겨울에 선왕인 분서왕이 낙랑의 자객에게 피살되었다.

　백제는 한반도의 남서부에 위치하고 있어서 늘 북진[1]하려는 계획을 세워야 했는데 이때마다 당장 부딪치는 게 반도의 중서부에 4백여 년간 자리 잡고 있는 낙랑군의 세력이었다.

　이 때문에 백제는 북으로는 막강한 고구려에 대비하여 성을 견고히 해야 했고, 한편으로는 남진[2]하려는 한족의 세력과도 충돌해야만 했다.

　고구려는 미천왕이 즉위하여 멀리 대륙에 거점을 둔 현도군을 공략하여 8천 명의 포로를 잡아 오는 등 국력을 내외에 떨치고 있었으나, 백제는 낙랑군의 공략을 받아 국경

---

1 북진(北進): 북쪽으로 나아감.
2 남진(南進): 남쪽으로 나아감.

방비가 위태로운 지경에 빠졌고, 낙랑 태수가 파견한 자객에게 급기야는 왕이 급서하는 등 국력의 정비가 시급히 요청되던 때에, 비류왕은 즉위하자마자 우선 고구려와 화친할 것을 결심하고 고구려 왕에게 사자를 보내기에 이른 것이었다.

뭐니 뭐니 해도 고구려는 같은 민족이 세운 국가이므로 낙랑군을 방비하는 데 두 나라가 힘을 합치면 큰 효과를 낼 수 있으리라는 생각에서였다. 백제와 고구려도 여러 차례 무력 충돌을 일으켜 서로 경계하는 사이였지만 같은 핏줄이라는 점에서 낙랑군에 대한 적개심은 동일한 것이었다.

황인은 국내성에 도착하여 고구려왕에게 백제왕의 친서를 전하려고 했으나, 이때 마침 고구려왕은 궁을 떠나 압록강 하류에 있는 요동 서안평에 출정하고 있었다. 그래서 황인은 객사3에서 보름 동안을 기다려야 했다.

황인이 처음 국경을 넘어 고구려 땅에 들어서자 고구려에서는 그가 자객이 아닌가 하고 엄중히 감시하여 궁성에까지 호위를 해 왔다. 그러나 황인은 백발이 성성한 노신4

---

3 객사(客舍): 나그네들이 묵을 수 있는 객지의 숙소.
4 노신(老臣): 늙은 신하.

으로 백제 왕의 친서를 휴대하고 있었고, 그의 일거일동5이 하나도 의심받을 만한 것이 없어서 나중에는 고구려의 국상이 친히 객사에까지 나와 주연을 베풀어 원로를 위로하기에 이르렀다.

　왕이 출정6을 마치고 환궁하자 황인은 왕에게 방물7과 친서를 바치고 낙랑군을 축출하는 데 있어서 공동보조를 취할 것을 청탁하였다. 왕은 왼손을 높이 들면서,

　"이 손을 보라."

　했다.

　치켜든 왼손에는 손가락이 넷밖에 없었다.

　"손가락 하나를 현도군에 묻고 온 지가 불과 이태밖에 되지 않는다. 과인은 한족이 이 땅을 유린하는 것을 결코 용납지 않으리라."

　"예, 고구려의 왕업이 창성함은 익히 들어 아는 바이옵고, 대왕의 불굴의 자주정신에 머리 숙여 감사를 드릴 뿐입니다."

---

5 일거일동(一擧一動): 하나하나의 동작이나 움직임. 일거수일투족.
6 출정(出征): ① 군에 들어가 싸움터에 나감. ② 군사를 보내어 정벌함.
7 방물(方物): 감사나 수령이 임금에게 바치던 그 고장의 특산물.

"낙랑군이 설치된 지 이미 4백여 년이 돼 간다. 그동안 한족들은 우리 민족의 영토를 유린하고 백성을 수탈하여 과인은 이제 그 원한을 풀려고 한다. 이 마당에 이웃 백제 국에서 과인과 같은 뜻을 가지고 맹약을 청탁하니 기꺼이 받아들이겠다. 그러나 백제와 우리나라의 사이에 낙랑군이 위치해 있으니 남북에서 공략하면 쉽게 그놈들을 내쫓을 수 있을 것이다. 가서 너희 왕에게 일러라. 앞으로 기회 있을 때마다 낙랑군의 기세를 꺾어 후일 낙랑을 멸망시키는 날 축배를 함께 들자고 일러라."

"예, 황공하옵니다."

황인은 고개를 숙이고 대답하였다. 듣던 바와 마찬가지로 고구려 왕은 천하 호걸이었다. 우렁찬 목소리 하며 거대한 체구, 불똥이 뚝뚝 떨어질 듯이 번뜩이는 눈, 과연 날아가는 화살을

손으로 잡아낼 수 있는 천하 영웅임에 틀림이 없었다.

그러나 황인은 고구려왕을 대하는 순간 근심이 하나 생겼다. 물론 그는 왕명8을 받고 고구려에 온 사신이었다. 하

---

8 왕명(王命): 임금의 명령. 준명(峻命).

지만 그에게는 내심으로 다른 목적을 가지고 있었다.

고구려 국력이 어떤지를 알아보려는 것이 바로 그것이었다. 먼 대륙까지 원정하여 현도군을 공략하고 8천 명의 포로를 잡아 왔다니 과연 고구려는 어떤 국력을 지닌 나라일까. 황인은 고구려의 영토로 발을 들여놓으면서 무엇보다도 이게 궁금했다.

그가 국경 지방에서부터 국내성까지 오는 동안에 그가 본 풍경은 한마디로 놀라운 것뿐이었다. 가는 곳마다 남녀노소들이 한데 어울려 무술을 연마하고 있었다. 중앙에서 파견된 정병사가 백성들을 모아놓고 말달리기 · 활쏘기 · 창던지기를 가르치고 있는 모습은, 백성 전체가 모두 국방에 종사하여 조국을 지키려는 결의가 어느 정도인지를 한눈으로 알게 하였던 것이다.

그런데 백제는 그와 달랐다. 상하가 모두 낙랑군과 고구려에 대한 공포증에 걸려 있었다. 백제는 일찍부터 동쪽에 위치한 신라와 바다 건너 왜(倭)[9]와 교통을 하고 있었다. 그러나 북쪽 나라들과는 별다른 교통을 할 수 없었다.

---

9 왜(倭): '왜국(倭國)'의 준말.

그러다가 낙랑군의 침입을 받아 국세를 크게 잃게 되자, 우선 고구려와 화친하려고 황인을 보내기에 이르렀던 것이다. 서기 298년에는 한(漢)이 맥인10과 합세하여 백제의 영토를 침입하였다. 당시의 책계왕이 군사를 거느리고 나가 이를 막다가 전사하는 불행을 겪었다.

책계왕은 원래 대방의 왕녀인 보과를 부인으로 삼아서 대방과 백제는 구생11의 사이였는데, 이때 고구려가 대방을 정벌하였다. 그러자 대방이 백제에게 구원을 청하여 백제가 구원병을 보내어 이를 막았다. 이때부터 고구려는 백제를 못마땅해했다. 백제는 고구려가 두려워서 아차성과 사성을 축성하고 이에 대비하였다.

비류왕이 즉위하자마자 황인을 고구려에 보낸 것은 이러한 고구려의 원망을 풀고 단합하여 이민족을 몰아내는 데 공동보조를 취하기 위해서였다. 선왕인 분서왕이 몰래 군사를 일으켜 낙랑의 서현을 습격하여 빼앗았는데 그 뒤에 바로 왕은 낙랑이 밀파한 자객에게 피살되었던 것이다.

이것은 마치 고구려왕이 대륙의 현도성을 공략하여 점령

---

10 맥인(貊人) : ①중국 동북쪽에 있던 종족. ② 강원도 지방에 있던 맥나라 사람.
11 구생(舅甥): ① 외삼촌과 생질. ② 장인과 사위.

했을 때 그 장수가 거짓으로 항복하는 체하다가 칼을 휘둘러 손가락을 끊어 놓은 것과 같은 사건으로 한족의 음흉한 심성을 잘 나타내는 것이라고 할 수 있다.

백제의 사신이 돌아가고 난 뒤 고구려는 한동안 내치12에 더 힘을 기울였다. 북방도 웬만큼 정비가 되었고 남쪽으로는 백제와도 화친을 해 놓았으니 우선 내정을 정비하여 국가의 잠재력을 길러야 한다고 왕은 생각했던 것이다.

각 호구마다 의무적으로 우마를 사육하는 영을 전국에 내리고 각 고을의 태수에게 정확한 호구 파악을 지시하고 1년에 봄가을 두 차례에 걸쳐 전국 규모의 무술대회를 열어 우승하는 자는 곧바로 병관13이 되게 하는 제도를 마련하여 백성들이 스스로 무예를 숭상하는 기풍을 기르도록 하였다.

또한 각 호구마다 병역과 노역과 납세의 의무를 지게 하여 자기 고을의 성을 증축하고 열다섯 살부터 60세에 이르는 남녀는 누구나 병역을 치르게 하여 1년 내내 윤번제로 성을 방비하게 하였다.

---

12 내치(內治): 나라 안을 다스리는 일.
13 병관(兵官): 군사 책임자.

또한 국가 안보를 튼튼히 하고 국론의 분열을 막기 위하여 적과 내통하거나 의무를 기피하는 자는 일벌백계로써 다스리니, 나라 안은 일시에 기강이 잡히고 위로는 왕을 우러르고 아래로는 백성들끼리 서로 믿고 의지하게 되어 국력은 보이지 않는 틈에 성장하여, 현도군 징벌 이후에 영토는 크게 늘어났다.

대군을 일으켜 적을 공격하거나 영토를 탈취한 것이 아니라, 변방의 백성들이 고구려에 스스로 합병해 왔으니 자연히 영토와 호구가 늘어날 수밖에 없는 일이었다.

백성들은 후조14와 같은 존재들이다. 철 따라 그 보금자리를 옮기며 사는 철새처럼 백성들은 훌륭한 지도자를 따라 이곳저곳 옮기며 사는 것이다. 고구려왕이 나라를 잘 다스리면 주인 없이 떠돌아다니는 부족들이 그 밑으로 모여드는 것이고, 잘못 다스려 인망을 잃게 되면 또 다른 주인을 찾아 뿔뿔이 흩어지는 것이다.

백성들의 이와 같은 속성을 왕은 누구보다도 잘 알았다. 그가 국내성을 떠나 야인으로 방방곡곡을 떠돌아다닐 때

---

14 후조(候鳥): 철새.

만난 난민들도 주인을 잘못 택해서 화를 입은 사람들이었다. 왕은 후조와 같은 생리를 가진 백성들에게 먹이를 주고 둥우리를 마련해 주는 사람이어야 한다고 그는 생각했다.

어느덧 을불이 왕위에 오른 지도 5년이 되었다. 왕은 지저귀는 새소리를 듣고 잠이 깨었다. 맑은 가을 아침이었다. 날씨가 싸늘해지면 왼손의 손가락이 욱욱 쑤신다. 현도성을 정벌하러 출군했을 때 잃은 새끼손가락 때문에 근육의 신경이 뒤틀렸나 보았다.

"이렇게 일찍 어딜 가시렵니까?"

왕비 유라가 옷깃을 여미면서 쳐다본다.

"성을 한 바퀴 둘러봐야겠소."

왕은 밖으로 나와 말에 올랐다. 시종들이 호위를 하려고 나서는 것을 만류하고 단기로 성을 돌아보기 시작했다. 성벽에는 빙 돌아가며 새로 뚫어놓은 전안15이 질서 있는 모습을 하고 있었다. 지상에서 석 자 높이 되는 곳과 일곱 자, 열한 자, 열넉 자 되는 높이에는 모두 전안이 뚫려 있었다. 전안 아래로는 성벽에 돌을 박아 받침대를 해 놓아서 궁수

---

15 전안(箭眼): 활을 쏘거나 적정을 살피기 위하여 성벽에 뚫은 작은 구멍.

들이 그 위에 올라 활을 쏠 수 있도록 했다.

　성벽의 동서남북에 출입문을 세우고 문의 지붕 위에는 높다란 망루를 세워 파수를 보게 했다. 마장 가까이 왔을 때였다. 어둠 속에서 창을 꼬나 쥔 병사가 앞으로 쑥 나오면서,

　"누구얏!"

하며 소리친다.

　"음, 수고한다."

　왕은 말을 탄 채 병사 앞으로 나가며 대꾸한다.

　"누구얏!"

　병사는 창을 왕의 가슴에 닿을 듯이 겨누며 소리친다.

　"……."

　왕은 대꾸할 말이 없었다. 마장은 성벽 밑에 붙어 있어서 아직도 어두운 편이었다.

　"나를 모르는가?"

　"이 친구 정신 나갔군! 자네가 누군지 내가 어떻게 알아? 잔말 말고 말에서 내려! 너같이 어슬렁대는 놈은 혼꾸멍을 내 줘야 돼."

　병사는 말고삐를 잡고 끌어다가 마장의 말뚝에 잡아맨다. 왕은 껑충 말에서 내렸다. 병사가 왕을 몰라보고 이놈

저놈 하는 꼴이 괘씸하기도 했지만 한편으로 마음 든든한 바도 있었다. 군기가 이토록 엄하게 시행되고 있으니 적의 첩자나 이적행위를 하려는 자들이 성안에는 얼씬도 하지 못할 것이다.

"어디 사는 놈이냐?"

병사는 한 손에 창을 꼬나 쥔 채 딱딱거렸다. 왕은 엉거주춤한 꼴로 손을 내저으며,

"동문에서 파수를 보다가 지금 교대하고 돌아가는 길이다."

하고 둘러대었다.

"파수병16 같지 않은데?"

병사는 왕의 아래위를 쭉 훑어보면서 고개를 내젓는다.

"정말이다."

"거짓말 마."

병사는 이렇게 말하며 왕의 허리춤에 찬 장도를 쑥 빼낸다.

"어렵쇼. 이 장도는 손잡이에 쌍룡이 새겨져 있군. 이건

---

16 파수병(把守兵): 파수 보는 병정. 보초병.

귀한 분만 차는 칼인데, 너 이제 보니 도둑질을 했구나."

왕은 말문이 막혔다. 여기저기의 초소에서 근무 교대를 하는 소리가 들려왔다.

"도둑질을 하면 목이 달아난다는 것 잘 알겠지?"

고구려에서는 남의 물건을 훔친 도둑에게는 무조건 사형이 내려졌다. 훔치다가 들키면 물건 주인의 노비 노릇을 해야 했다.

"이놈! 바른대로 말해. 어디서 훔쳤지? 이 보검을 어디서 훔쳤느냐 말야!"

이때 궁성 쪽으로부터 말발굽 소리가 요란하게 들려왔다. 잠시 후에 마장 앞에 왕이 서 있는 것을 발견하고 말은 그쪽으로 재빨리 다가왔다.

"사미 부인께서 위급하십니다."

말을 달려온 자는 시종장17이었다.

"뭐라구? 어머님께서?"

왕은 후다닥 놀라 말 위에 올랐다. 왕을 심문하던 병사가 깜짝 놀라 땅 위에 엎드렸다.

---

17 시종장(侍從長): 왕을 곁에서 모시며 시중드는 사람 가운데 우두머리.

"너에게 상을 내리리라."

왕은 한마디 내던지고 나서 급히 궁으로 돌아왔다.

사미 부인의 명은 경각에 달려 있었다. 아드님이 가까이 가도 제대로 눈을 뜨지 못했다.

"어머님……."

왕은 울음을 삼키며 나직하게 말했다. 왕비 유라와 왕자 사유도 눈물을 흘리며 지켜 서 있었다.

"고구려의 힘을 기르시오. 임금은 만백성의 어버이니 어버이 된 도리를 다하시오."

사미 부인은 눈을 간신히 뜨고 왕을 쳐다보며 마지막 남은 기운을 다하여 이렇게 말했다.

"어머님……."

왕이 미처 대답할 틈도 없이 사미 부인은 숨을 거두었다. 병석에 누운 지 여러 달이 되었지만 이렇게 빨리 숨을 거두리라고는 생각도 못 했다.

어머니가 돌아가시자 왕은 새삼 인생의 허무함을 다시 절감해야 했다. 누구나 죽으면 한 줌 흙으로 돌아가는 것인데, 사람이 인생을 아등바등하며 산다는 것이 우스운 일이기도 했다.

"고구려의 힘을 기르시오."

사미 부인의 마지막 이 말이 왕의 머릿속에 두고두고 아로새겨져서, 모든 일을 어머니의 이 말씀 한마디를 명심하여 처리하는 습관이 왕에게 붙게 되었다.

　"마지막 남은 낙랑을 정벌하여 민족의 근거를 없애야 됩니다."

　늦가을의 어느 날, 어전회의에서 군신들이 이와 같이 건의했다. 왕은 벌써부터 낙랑을 공략하려는 계획을 세워 왔지만 공략의 적기18를 잘 택해야만 되는 일이었다.

　"국상의 의향은 어떠하오?"

　왕이 물었다.

　"예, 아뢰옵기 황공하오나 아직 때가 이르다는 생각이옵니다."

　창조리는 허리를 구부렸다.

　"때가 이르다?"

　왕이 그의 말을 받아 뇌까렸다.

　"그 까닭은?"

　"예. 지금 고구려는 겉으로 보기에는 막강한 군사력을 가

---

18 적기(適期): 알맞은 시기.

지고 있지만, 아직도 저들의 발달된 무기에는 비할 바가 아닙니다. 그들은 일찍부터 본토에서 여러 가지 문물을 받아들여 병기도 우수합니다. 우리가 현도군을 쳤을 때는 손쉽게 이길 수 있었으나, 낙랑군은 벌써부터 고구려나 백제가 쳐들어올 것에 대비하고 있을 것입니다. 또한 임금께서 즉위하신 후로 민생이 도탄에서 구제되었지만 아직도 저축해 놓은 식량이 많지 못합니다. 낙랑군을 정벌하는 것은 그들의 성이 견고하고 또한 패수를 끼고 있어서 장기전이 될 것이오니 무엇보다도 충분한 군량미가 있어야 출군할 수 있사온데 아직 고구려에는 그만한 양식이 비축돼 있지 못한 것입니다. 때를 좀 더 기다려서 공격하는 것이 좋을 듯합니다."

왕은 창조리의 말을 들으며 내심으로는 역시 국상의 생각이 깊은 것을 느껴 흐뭇했다. 그러나 소우와 조불, 그리고 재모는 그렇지 않았다. 혈기왕성하고 용맹무쌍한 그들은 국상의 말에 정면으로 반대했다.

"그건 잘못된 생각인 줄 아옵니다. 우리가 전쟁 준비를 오래 하면 저들도 그만큼 군사력이 증강됩니다. 지금 낙랑은 문약(文弱)에 흐르고 있어서 무(武)를 경시합니다. 이때를 놓치지 말고 일제히 공격한다면 반드시 승산이 있을 것이옵니다."

"그렇습니다. 지금 고구려의 군사력은 막강합니다. 낙랑군쯤이야 현도성보다도 더 손쉽게 해치울 수 있습니다. 한시바삐 군사를 일으켜 출군하는 게 좋을 것이옵니다."

왕은 군신들한테 하나하나씩 모두 의견을 물어보았다. 지금 당장 낙랑군을 정벌하자는 의견이 지배적이었다.

"이제 과인의 의견을 말하겠소."

군신들은 머리를 조아렸다. 까치가 날아가며 깍깍 우는 소리가 가을 하늘에서 오동잎처럼 뚝뚝 떨어져 내리고 있었다.

왕은 눈을 들어 먼 산을 바라보았다. 용이 등천하려고 솟구치는 것처럼 산은 퍼져 나가고 있었다. 어떻게 보면 국내성은 천연의 요새였다. 사방으로 큰 산이 둘러쳐져 있었다. 가을의 푸른 하늘이 왕의 눈앞에 퍼져 있었다. 막 단풍이 들려는 산은 그 꿋꿋한 자태가 의지력이 강하고 용맹한 사나이의 냄새를 풍겼다.

"낙랑은 한반도의 깊숙한 곳에 위치하고 있는 군현이오. 중국에서 직접 황해를 거쳐 문물을 수입하여 그 문화 또한 매우 수준 높은 것이오. 우리가 현도를 공략했을 때는 그들이 발붙일 거점을 없애고 북방의 경계를 안전하게 하려는 데 그 뜻이 있었으나 낙랑의 경우는 그렇지가 않소. 우리 고구려의 궁극적인 목적은 신라와 백제를 병합하고 지금도 서북 방면에 흩어져 항거하는 여러 부족을 모두 통합하여 대륙에 맞먹는 광활한 영토와 수많은 인력을 확보하여 동양 최대의 국가를 건설하는 게 아니겠소?"

왕이 말하는 동안 여러 군신들은 모두 머리를 조아리고 잠잠히 듣고 있었다.

"전쟁이란 살생이 불가피한 것이지만 결코 살생을 목적으로 해서는 안 되오. 과인의 생각으로는 낙랑군의 영토와 문화를 고스란히 우리 것으로 하고 싶소. 파괴와 살생을 최소한도로 줄이고 그들의 수준 높은 대륙문화를 받아들여야만 우리가 반도를 통일하고 북방 대륙을 정비하여 대국가 건설을 하는 데 있어서 큰 힘이 된다고 보오."

왕은 또 말을 그치고 눈을 들어 멀리 성벽 위에 우뚝 선 망루를 바라보았다. 그의 눈은 금방이라도 불붙을 것처럼 활활 빛나고 있었다.

그의 마음속에는 고구려의 국력 확장, 나아가서 동양 최대의 대왕국을 건설하려는 의지가 강철처럼 견고하게 자리 잡고 있었다.

낙랑이 아무리 문물이 발달하였다 해도 전 군사력을 투입하여 공격한다면 쉽게 점거할 수 있을 것이었다. 그러나 낙랑은 그 역사가 오래되었고 바다를 통해 직접 수입되는 한족의 문화에 덕 입어서 만만치 않은 저력을 지니고 있기 때문에 쉽게 백기를 들 것 같지는 않았다.

또한 그들을 대륙으로 몰아내려면 육로는 고구려에 의해 자연적으로 차단되어 있으므로 해로[19]밖에는 없었다. 이런 사정은 곧 그들이 쉽게 항기를 들지 않을 것이라는 말과 통하는 것이다. 퇴로가 용이하지 않으니 죽기를 무릅쓰고 싸울 것이다.

또 하나의 문제점은 그들이 고구려군에 패배하면 그 아래로 남진해 갈 가능성이었다. 이렇게 되면 그들은 고구려에 밀린 것만큼 백제나 신라 땅을 잠식해 들어갈 것이고 그들의 공술로 쉽사리 무기를 제조하여 군력을 재정비 강화할 위험이 있다. 만일 이렇게 된다면 낙랑을 축출하려다가 오히려 동족이 세운 국가가 해를 입게 되고 자칫하다가는 국력이 고구려보다 약한 신라나 백제가 그들의 말발굽 아래 무참하게 짓밟힐지도 모르는 일이었다.

"신(臣) 재모가 아룁니다. 낙랑의 문화가 수준 높은 것은

---

19 해로(海路): 배가 다니는 바다 위의 길. 바닷길.

사실입니다. 그러나 그들의 문화를 그대로 우리 것으로 하려면 파괴와 살생이 잇따르는 전쟁으로써는 어려운 노릇이 아닙니까. 그러나 힘에 의하지 않고는 그들을 몰아낼 수가 없는 것입니다."

"신 소우가 다시 아룁니다. 워낙 놈들은 음흉하여 아주 그 씨를 없애기 전에는 반드시 후환이 있을 것입니다."

"그대들의 생각은 내 충분히 헤아리고도 남음이 있소. 나 역시 그들과 화친을 하거나 그들에게 머리를 숙이고 들어가서 문물을 전수 받을 생각은 아니오. 다만 낙랑은 현도와는 다른 국력을 보유하고 있고 문화 또한 수준이 높으니 이 것을 살생과 파괴를 하지 않고 빼앗는 방법이 없나 해서 한 말이오."

"임금님의 말씀이 옳습니다. 고구려가 지금 다시 낙랑과 전면 전쟁을 일으킨다면 고구려의 국력이 많이 소모됩니다. 그런 틈을 타서 북방의 오랑캐들이 북쪽의 우리 영토를 유린할지도 모릅니다. 낙랑은 반도에 위치하고 있어서 언젠가는 고구려·백제·신라에 의해 소멸될 것입니다. 우리는 지금 남방보다 북방의 경비가 더욱 중요합니다."

국상이 왕의 의견을 부연하며 말하자 성질이 괄괄한 동부의 장수가 앞으로 나오며,

"국상께서는 잘 모르는 말씀입니다. 북방은 비록 영토는 광활하다 해도 아무짝에도 쓸모가 없는 땅이 많습니다. 겨울이 되면 군마에게 먹일 풀도 저장하기가 어려워 군마를 대량으로 사육할 수가 없습니다. 남쪽은 땅이 비옥하고 일기가 온순하여 군마를 사육하기도 안성맞춤이고 농사짓기도 좋습니다."

한다.

그러나 왕의 결심은 이미 굳어져 있었다. 좀 더 시간을 두고 장기적인 안목에서 낙랑 토벌의 계획을 세운다는 것이었다.

그러기 위해서는 남쪽의 신라·백제와 교신[20]이 필요했다. 백제에서는 이미 사신이 다녀갔다. 왕은 사신을 보내 신라와 백제와의 우호를 강화할 것을 결심했다. 그리고 난 다음에 국력을 신장하고 낙랑의 군사력을 면밀히 탐지하여야 할 것이었다. 지피지기[21]해야만 전쟁에 승리하는 것이지 성급하게 군사를 일으키면 자칫하다가는 패배의 쓴잔을 마시고 북방의 어느 좁고 추운 변두리로 오히려 되몰릴 위험

---

20 교신(交信): 통신을 주고받음.
21 지피지기(知彼知己): 적의 사정과 나의 사정을 잘 앎.

도 있는 것이다.

왕은 그해 겨울에 절불을 신라에 사신으로 보냈다. 신라는 남쪽 끝에 위치하고 있어서 고구려와는 교통이 없는 편이었고 오히려 국경 지방에서 양군이 자주 충돌을 일으켜 그동안 사이가 좋지 않았다. 또한 낙랑으로 재모를 파견하였다. 재모는 사신으로 간 것이 아니라 소금 장수로 낙랑의 영토에 잠입해 들어갔다. 말하자면 거물 첩자를 잠입시킨 것이었다. 이것은 재모가 자원한 것이었다. 당장 낙랑을 토벌하자고 주장하던 재모는 왕의 결심이 굳은 것을 알고,

"신이 낙랑에 들어가서 그들의 군사력을 탐지해 오겠나이다. 신은 원래 소금 장수이므로 소금 짐을 지고 낙랑의 치하에 있는 백성들의 민심도 살피고 군사력도 알아 오겠나이다."

했던 것이다.

왕은 재모를 떠나보내며 그의 손을 잡고,

"내 일찍이 그대의 충성에 힘입어 야인 생활을 무사히 했거늘, 오늘, 이토록 나라를 위하여 힘든 일을 자청하니 그 충성은 만고에 빛날 것이오. 만일 낙랑군의 군사들에게 그대가 첩자인 것이 발각된다면 목숨을 잃게 되고 나아가서 그들의 원한을 살지 모르니 만사에 조심해서 일을 하고 돌

아와 반가운 재회를 기약하도록 하오."

하며 감격해 했다.

이렇게 하여 낙랑 토벌은 뒤로 미루어지고 재모는 사지22로 떠났다. 재모는 압록강을 건너 남쪽으로 내려갔다. 낙랑이 가까운 어느 고을에서 재모는 지금까지 입고 있던 관복을 벗고 소금 장수 차림으로 변장을 했다. 종자23도 돌려보냈다. 단신24 로 나선 것이다.

"아, 이렇게 차리니 편하구나."

재모는 소금 짐을 지고 개울을 따라 걸었다.

"임자는 어디로 가는 길이오?"

늙수그레한 행인이 뒤따라오며 말을 건넸다.

"글쎄, 낙랑으로 들어가서 소금이나 팔려고 하는데, 들어갈 수 있을지 의문이오."

재모는 약간 경계하는 마음으로 그 행인에게 넌지시 말했다. 지금까지 들은 바에 의하면 상인들은 낙랑이고 백제

---

22 사지(死地): ① 죽을 곳. 죽어야 할 장소. ② 도저히 살아 나올 수 없는 위험한 곳.
23 종자(從者): 상전을 따라다니며 시중드는 사람. 데리고 다니는 사람. 종인(從人).
24 단신(單身): 혼자의 몸. 홑몸.

고 간에 아무 어려움 없이 드나들 수 있다고 했다. 국경의 파수병에게 물건을 조금 집어 주면 쉽게 통과한다는 것이 었다.

"소금장수요?"

그 행인은 키가 후리후리하게 크고 턱수염을 길게 기르고 있었다. 머리칼은 희끗희끗하니 반백이었지만 수염은 숯처럼 새까맣다.

"들어갈 수야 있지만 낙랑군은 서해를 끼고 있어서 소금이 흔할 텐데 그까짓 소금 가지고 어디 장사가 되겠소?"

하긴 그렇다. 북방에는 소금이 귀해서 웬만한 비단보다도 더 값이 나가지만 바다를 끼고 있는 나라에서는 소금이 많아서 값이 헐하다.

"산천 구경도 할 겸 떠나는 길이니 까짓 값이야 적든 말든 상관없소이다. 노형25은 어디로 가시오?"

그는 어깨에 전동을 둘러메고 있다. 보아하니 무사 같지는 않은데 아마 사냥꾼인 모양이다.

"나도 장사를 하러 떠나는 길이오."

---

25 노형(老兄): 처음 만났거나 그다지 가깝지 않은 남자 어른들 사이에서, 상대편을 대접하여 부르는 말.

"무슨 장사를 하오?"

"흐흐, 사람 장사라오."

"사람 장사라니?"

그는 바위에 걸터앉으며,

"낙랑의 고관들 집에 하인을 팔러 다닌다오. 그것도 꽃같이 예쁜 계집 하인이오."

하며 껄껄 웃는다.

"고구려 사람을 파는 거요?"

재모는 그의 말을 듣고 언성을 저도 모르게 높였다. 그전에는 고구려 사람들도 낙랑의 노비로 많이 징발돼 간 적이 있었다.

"아니요. 이젠 그 장사 해 먹기도 힘들다오. 얼마 전까지만 해도 고구려 사람들은 밥만 먹여 준다는 조건으로 노비로 팔려 갔지만 이젠 사정이 달라졌소. 고구려인은 먹고살기가 편한 데 왜 노비로 가겠소. 그래서 나는 지금 남쪽 백제 땅으로 내려가는 길이오. 그곳은 어떤지 가 봐야겠소."

"지금까지 고구려인을 많이 팔아넘겼겠군요?"

"물론이죠. 아주 싱싱하게 물이 오른 젊은 계집만을 많이 팔아먹었죠."

"어떻게?"

"돈 주고 사다가 팔기도 하고 도둑질해다가 팔기도 했소. 장사치고는 꽤 재미 보는 장사요. 돈만 남는 게 아니라 처녀들 궁둥이도 주물렀으니, 당신 같은 소금 장수야 짐작도 못 할 것이오."

재모는 말이 나오지 않았다. 끓어오르는 분노를 안으로 삼키면서 그의 상판대기를 잘 살펴보니, 눈이 아래로 째진 것이 간교하게 생겼다.

"그놈들은 워낙 계집을 좋아해서 얼굴이 곰보라도 젊기만 하면 사족을 못 쓰지. 그놈들 참 맹랑한 놈들이야."

"그 활은 왜 메고 다니오?"

"산속에서 짐승을 만나면 어떡하오? 댁도 맨손으로 다니다간 언제 맹수의 밥이 될지 모르오."

"그 화살 한 대 어디 봅시다."

"그러오."

그는 전동에서 화살을 쏙 뽑았다. 재모는 그것을 받아 들었다.

"그게 낙랑의 화살이오. 촉이 튼튼하고 화살 무게가 가벼워서 멀리까지도 나갈 수 있다오."

"그렇군."

재모는 이렇게 말하고 화살을 들어 그의 가슴 위에 대고,

"너 같은 놈은 살려둘 수가 없다. 같은 동포를 한족에게 노비로 팔아먹는 놈은 그놈들보다도 더 나쁘다. 더 큰 죄를 짓기 전에 죽여야겠다. 나는 고구려의 장군 재모다. 아마 네가 나를 잡아다가 낙랑에 바치면 몸값은 두둑이 받겠지만, 너는 지금 내 손에 죽으니 네 팔자를 원통하게 생각하라!" 하며 꽉 찔렀다.

그는 말 한마디 못 하고 피를 토하며 바위 위에서 굴러떨어졌다. 그를 죽이고 난 재모는 마음이 우울했다. 그는 피가 뚝뚝 떨어지는 화살을 숲속에 버리고 부지런히 앞으로 걸어 나갔다. 멀리 낙랑의 마을이 보이기 시작했다.

"소금 사시오! 소금이오!"

재모는 큰소리로 외치며 마을로 들어갔다. 농부들이 눈 덮인 보리밭에 오줌을 주다가 허리를 펴고 일어섰다. 그밖에는 마을은 고요하고 아무런 반응이 없었다. 웬일인지 길가에도 아이들 하나 보이지 않았다.

"어디서 오는 사람이오?"

농부 차림의 사내가 밭두렁으로 나오며 물었다. 가까이 왔을 때야 그가 농부가 아니라 칼을 찬 병정인 것을 눈치챈 재모는 경계하는 마음을 먹고 천연스럽게 대꾸했다.

"떠돌이 장수요. 이 마을에 소금이 떨어졌다는 말을 듣고 왔소."

"잘못 왔소. 여기는 살림을 하는 마을이 아니라, 군이 주둔하고 있는 촌이오."

"어이구 무섭소. 전쟁도 안 일어났는데 웬 군사들이?"

"그런 사정이 있다오. 이 마을은 원래 우리가 살던 곳인데 지난봄에 갑자기 이 지경이 됐소. 고구려가 침략해 온다고 주민들을 모두 소개26시키고 남자들만 남게 하여 마을을 지키고 있다오."

"거 이상하오이다. 마을을 비우고 군을 주둔시키다니 다른 데 주둔할 곳도 많을 텐데?"

"그러면 군량미가 조달되기 어려우니까 아주 자급자족할 수 있는 곳을 고른 거라오. 그 바람에 우리는 농토를 징발당해서 모두 군전27으로 빼앗기고 농사를 지어 군사를 먹이고 있다오."

"지금 군사들은 어디 간 모양이군?"

"산 너머로 훈련을 나갔소."

---

26 소개(疏開): 공습·화재 등의 피해를 덜기 위해 한곳에 집중되어 있는 주민·시설 등을 분산시킴.
27 군전(軍田): 군인에게 지급하던 토지.

"어이구, 겁나는구만. 나는 군인들만 보면 가슴이 후당당거려서⋯⋯."

재모는 이 말을 듣고 정말로 가슴이 두방망이질을 하도록 놀랐다. 낙랑이 이와 같이 철두철미하게 고구려의 침략에 대비하는지는 몰랐던 것이다. 그것은 고구려의 침략을 방어하려는 것이라기보다는 침략 준비를 하는 것 같았다. 본토와의 육로를 가로막고 있는 고구려가 낙랑의 입장에서는 눈엣가시처럼 성가셨을 것이다.

"곧 전쟁이 일어나겠군. 이놈의 소금 장사도 다 해 먹었군."

재모는 반농반군[28]의 차림을 한 그에게 이렇게 한탄을 했다. 그리고 나서 한마디 넌지시 덧붙였다.

"농토를 다 뺏기고도 억울하지도 않소?"

"여보슈. 그런 말 마슈. 지금 모두들 이를 갈고 있소. 고구려에서 쳐들어오면 관군[29]을 빼놓고는 우리는 모두 고구려 편에 설 것이오. 대대로 그놈들한테 수탈당한 것만도 억

---

28 반농반군(半農半軍): 평상시에는 농사에 전념하였다가 유사시에는 군인으로 전투에 임하는 백성.
29 관군(官軍): 정부의 정규 군대. 관병.

울한데, 이젠 처자식들과 생이별을 하고 그놈들을 위해 농사를 지어야 한다니, 빌어먹을!"

그는 보리밭 두렁에 올라서서 오줌을 찍 갈겼다.

재모는 다시 발길을 옮겼다. 군치인 조선현은 패수 가까이 가야 되므로 재모는 밤이 되어도 쉬지 않고 걸어야 했다.

낙랑은 지금의 평안도 대부분과 황해도 일부에 위치하고 있었다. 처음 설치될 때와는 약간의 변동이 있었으나 다른 군보다는 비교적 같은 위치에서 그 명맥을 이어가고 있었다. 기원전 75년에는 임둔군의 7현이 낙랑에 편입되어 영흥과 함흥 쪽까지도 낙랑의 지배를 받게 되었다.

낙랑은 모두 11현이었다. 조선·염한·패수·점제·수성·증지·사망·둔유·누방·혼미·탄열의 11현이며, 임둔에서 편입된 현은 동이·불이·잠대·화려·사두매·전막·옥저였다.

군(郡)에는 태수와 각 고을에 영(令)을 두어 한반도의 영토와 백성을 다스리게 했다. 더욱 낙랑군은 진번군의 고지30도 병합하여 다스리면서 한의 동방군현의 중추적 역할

30 고지(故地): 전에 살던 곳.

을 다했으며 광활한 영토와 본토에서 수입된 문화를 토착 사회에 옮기며 전성시대를 누렸고 번영을 다했다.

　재모는 이듬해 가을까지 낙랑의 여러 현을 골고루 돌아다니며 그들의 방비 태세를 살폈다. 국경 지방의 농민들은 관군들에 대한 반감이 많아서 고구려가 들어가면 이내 이쪽 편으로 삼을 수 있었다. 누구나를 막론하고 낙랑의 식민 지배를 싫어하고 있었다. 이것은 마음 든든한 일이었다.

　그러나 현청31이 있는 곳이나 군치가 있는 수현에서 사는 백성들은 이와 달랐다. 이미 그들은 민족성을 상실한 채 한족의 충실한 노예가 된 무리가 대부분이었다. 한족이 물건을 훔치는 것은 죄가 되지 않았지만 백성들이 물건을 훔치면 사형이 내려진다는 불공평한 형리32의 횡포에도 그들은 잠자코 복종만 하지 불평 한마디 하지 않는 것이다.

　4백 년이란 세월은 긴 것이다. 민족성을 상실케 하는 데 충분한 시간이다. 낙랑군의 통치 수법은 간교하기 이를 데 없어서 토착인의 핏속에 도도히 흐르고 있던 민족성을 하나씩 잠식해 들어가서 마침내는 그들이 한족의 노예로 태

---

31 현청(縣廳): 벼슬아치들이 모여 고을의 일을 돌보는 관아가 있는 곳
32 형리(刑吏): 지방 관아의 형방(刑房)에 딸렸던 구실아치.

어난 것을 운명으로 인식하게 만든 것이다.

　재모는 조선현의 거리를 거닐며 착잡한 마음을 달랠 수 없었다. 거리에 오가는 사람들의 외모는 고구려인보다 한 결 화려하였다. 비단옷을 입고 장신구까지 치렁치렁 달고 다니는 그들의 모습에서 낙랑의 문화를 알 수 있었다. 관리가 행차하면 땅에 엎드려 충성을 맹세하는 모습에서 민족적인 굴욕감을 느끼기도 했다. 재모는 태수가 사는 드높은 궁궐을 바라보며, 저 안에는 우리 민족의 피와 땀으로 응결된 수많은 보배와 양식이 있겠구나 하는 생각을 하며 몸을 부르르 떨었다. 거리도 번듯번듯했고 돌로 모두 포장을 하여 비가 오거나 눈이 와도 질퍽거리지 않았다.

　집도 고구려의 것보다 모두 편리한 구조로 되어 있었다. 모든 게 본국에서 직접 기술을 도입하여 지은 것일 것이다. 왕이 낙랑의 문물을 그대로 빼앗고 싶다고 한 말을 이제야 이해할 것 같았다.

　군사의 기밀은 좀처럼 탐지할 수가 없었다. 조선현의 수비군은 가장 막강하여 3만을 헤아리는 대군으로 편성되어 있었고 수비군 대장은 본토에서 임명돼 온 경방이었다. 사납기가 이루 말할 수 없어서 부하 장졸이 조금만 비위에 거슬리는 언행을 해도 즉석에서 목을 베었다. 사실 재모가 조선현의 거리를 거닐다가 길거리에 참수되어 내걸린 시체를 여러 번 보았는데 그게 모두 경방의 짓이라는 것이다.

어느덧 다시 겨울이 돌아왔다. 재모가 낙랑군에 온 지 1년이 된 것이다. 소금장수는 일찌감치 그만두고 때로는 문전걸식도 하고 노역도 하면서 밥을 빌어먹으면서 지낸 것이다.

"재모 장군 아니십니까?"

어느 날 노역장에서 흙을 퍼 나르고 있는데 어떤 젊은이가 가까이 와서 귓속말을 했다.

"?"

재모는 깜짝 놀라 못 들은 체하고 다시 흙짐을 지고 일어섰다.

"고구려에서 왔습니다."

젊은이는 그가 재모임을 확인하고 따라오며 넌지시 말했다.

"국내성에서 왔습니다. 장군님."

재모는 그제서야 흙짐을 내려놓고 젊은이와 마주 섰다.

"알았네. 남이 보고 있으니까 절은 안 해도 돼. 임금님께옵서도 옥체 안녕하신가?"

"예. 임금님께서 장군의 안위가 궁금하다고 저를 파견했습니다. 저는 궁성 수비대의 조장을 맡고 있는 길묘입니다. 적지[33]에 들어오셔서 그동안 얼마나 고생하셨습니까? 장군을 모시고 오라는 분부를 받았습니다. 한시바삐 돌아가시죠."

왕의 은혜가 하늘과 같았다. 재모는 북녘 하늘을 우러러 눈을 감고 그 은혜에 감사하였다.

"아니다. 나는 지금 돌아갈 수가 없다. 낙랑군에 입대하는 길을 찾고 있는 중이다. 가서 임금께 아뢰어라. 낙랑 침공을 서두르지 말고 후일을 기약하자고 아뢰어라."

그날 밤 재모는 왕에게 글을 올려 길묘 편에 보냈다. 재모는 낙랑군에 입대하여 그들의 병술[34]을 샅샅이 탐지하려고 마음먹었던 것이다. 섶을 지고 불 속에 들어가는 위험을 안고 재모는 고구려를 위하여 자기 한목숨을 바칠 각오를 한 것이다.

재모는 얼마 후에 조선현 수비대의 일원으로 입대를 하여 낙랑의 관군이 되었다. 몇 달이 지나자 그의 무예와 지략을 인정받아 조장이 됐다가 이듬해에는 수비대장 경방의 심복이 되어 활약할 수 있었다.

---

33 적지(敵地): 적이 차지하고 있는 땅.
34 병술(兵術): 군사를 지휘하고 부리는 기술.

경방의 목을 치는 것은 손쉬운 일이었지만, 고구려군이 일시에 침공하는 것과 때를 맞추어 내부를 교란시키고 태수와 수비대장을 없애리라 마음먹고 그날이 오기만을 기다렸다.

낙랑의 군치인 조선현은 패수 남안35에 자리 잡고 있어서 땅이 기름지고 드넓은 벌판이 이어져 있었다. 낙랑의 각 현에서 거둬들이는 각종 특산물을 실어 가는 화물선이 강에 닻을 내리고 있었다. 재모는 수비대의 부장이었으므로 이들 선박에도 마음대로 드나들 수 있었다.

바다가 가까워서 겨울이면 대륙 못지않게 서풍이 강하게 불었다. 그 바람은 본토에서 일어나 바다를 건너 낙랑 쪽으로 오는 것이어서, 백성들이 지닌 꿋꿋한 민족의식을 말살시키는 힘이라도 가지고 있는 듯이 거세게 줄기차게 부는 것이었다.

---

35 남안(南岸): 강이나 바다의 남쪽 기슭.

5. 미천지원에 묻히다

　서기 311년 8월 초에 고구려는 대군을 일으켜 압록강 하류의 서안평을 공략하였다.

　북방의 신성도 자주 침략을 받고 있었다. 또한 서안평도 군사를 일으켜 서북 방면의 우리 영토를 유린하기도 했다. 그러나 서안평을 치는 것은 다른 이유에서였다. 말하자면 낙랑군을 토벌하는 준비작업의 성격을 띠고 있는 출군이었다.

　"낙랑을 치기 전에 우선 서북 방면의 적을 잠들게 해야 합니다. 북방을 허술히 해 놓고 낙랑을 친다면 우리가 낙랑의 땅을 차지하는 것만큼 북쪽의 땅을 잃을 것입니다."

　국상은 이렇게 건의하였다. 국상은 고령이라서 이 말을 하면서도 몇 번인가 말을 중단해야 할 만큼 건강이 좋지 않았다. 왕은 소우를 총대장으로 삼아 2만의 정예군으로 서안평을 치게 하였다. 또한 왕자 사유도 비록 나이는 어렸지만 종군케 하였다. 왕자를 싸움터에 보내려고 하자 왕비 유라는,

"어린것을 적진에 보내다니 위험한 일이옵니다."

하며 만류하였지만 왕은 이를 듣지 않고 소우를 딸려 보냈다.

"앞으로 고구려를 이끌어 갈 사유가 아니오? 어려서부터 전쟁의 어려움을 알게 해야 나중에 어떤 변이 일어나도 잘 극복해 나갈 것이오. 또한 왕이라고 해서 부하 장졸의 고생하는 것을 모르면 안 되오."

"낙랑에서 온 밀사가 임금님을 뵙기를 청합니다."

요동 출정군이 떠난 이튿날 아침 일찍, 아직 왕이 침소에 있을 때 남문에서 전갈이 왔다. 왕은 급히 나와서 밀사를 맞았다.

"재모 장군이 보내는 글을 가지고 왔습니다."

그는 품속에서 두루마리를 꺼내 왕에게 올렸다.

"옷과 음식을 주어 편히 쉬도록 하여라."

왕은 이렇게 분부하고 급히 재모의 글을 뜯어보았다.

"오, 지금까지 재모가 살아 있으면서 충성을 하니 기특한 일이로다."

왕은 무량한 감개에 젖어 글을 읽어 나갔다.

재모의 글에는 고구려군이 침입하는 방향을 지시해 놓은 지도도 들어 있었다.

북쪽은 고구려군을 대비하여 경계가 삼엄하니 압록강을 타고 내려와 바다로 빠져서 다시 패수를 거슬러 올라오라는 것이었다. 침략 일자는 내년 봄이 좋으리라는 것이었다. 대동강에는 저들의 배들이 많이 오가므로 상선을 가장한 병선[1]으로 조선현을 기습하고 한편으로는 육로로 서북 방면을 치면 낙랑은 당황하여 곧 패할 것이다. 낙랑의 수도를 지키는 수비군에서 재모가 부장[2]의 역할을 하고 있었으므로 패수 나루터의 파수를 하루 동안 세우지 않으면 고구려 병선이 닿아 쉽게 군사를 상륙시킬 수 있다. 그러나 고구려에는 아무런 조선술이 없다. 그래서 병선 만드는 기술을 적어 보내니 하루빨리 많은 배를 만들어 병사들로 하여금 노 젓는 법과 흔들리는 배에서 활 쏘는 법을 가르치라는 글의 내용이었다.

　"이렇게 하는 것은 전쟁을 번거롭게 하지만 낙랑의 문물을 하나도 다치지 않고 수중에 넣는 유일한 방법입니다. 기습적으로 조선현을 점령하면 변방의 경비대는 쉽게 무너질 것이고 이들이 남쪽으로 도망갈 수도 없는 것입니다. 신은

---

1 병선(兵船): 전쟁에 쓰는 배.
2 부장(副將): 주장의 다음 지위로 주장을 보좌하는 장수. 부수(副帥).

조국에 대한 충성을 다시 한번 하늘에 맹세코, 고구려군이 쳐들어오는 날이면 조선현의 수비부대를 이끌고 곧 투항할 것이며 미리 태수와 수비대장을 손아귀에 넣어 놓겠습니다. 또한 봄가을 두 차례에 걸쳐 현령들이 조선현에 모여 회의를 열흘 동안 하는데, 바로 이때를 틈타서 침략하면 현령3들도 일시에 잡을 수 있습니다."

재모의 글은 면밀하고도 신념에 가득 차 있었다. 이렇게 되어 고구려에서는 때아닌 병선을 만들어야 했다.

"배를 타 보지 않은 군사들을 이끌고 바다로까지 나간다는 것은 위험합니다. 그냥 육로로 밀고 들어가도 낙랑은 항복하는 게 아닌지요."

이렇게 말하는 신하도 있었다. 그러나 대부분의 군신들은 재모의 말이 옳다 하였다. 육로와 수로로 일시에 쳐들어간다는 것은 작전상 어려운 점도 있었으나 재모의 말대로 순식간에 조선현을 점령하고 일시에 태수와 현령을 잡지 못하면 그들의 잔여 부대가 반도의 어느 곳으로든지 파고들어서 다시 재기를 도모할 것이다.

---

3 현령(縣令): 현(縣)의 으뜸 벼슬.

낙랑군이 이 땅에 들어선 지 4백 년이 훨씬 지났다. 뿌리 깊은 나무는 가지만을 자른다고 죽는 것이 아니라 뿌리째 뽑아 버려야만 하는 것이다.

낙랑에서 재모의 밀서를 가지고 온 자는 바로 재모가 보낸 조선공4이었다.

그에게 상급5을 후하게 내리고 조선고6의 책임자로 삼아 그날부터 각 부락에서 운반돼 오는 나무로 배를 만들고 한 척 한 척씩 만들어지는 배를 압록강에 띄워 병사들로 하여금 노 젓는 법을 배우게 하니, 나라 안은 온통 배 이야기로 가득 찼다.

"이게 도대체 무슨 일이야?"

"누가 아니래나. 갑자기 왕명이 내려 영문도 모르고 배를 만드니 이게 어떻게 된 거야?"

"낙랑군이 압록강을 거슬러 배를 타고 쳐들어온다는 거야?"

"후후, 그놈들이 미쳤다고 배를 타고 들어와?"

---

4 조선공(造船工): 배를 만들거나 고치는 일을 하는 사람.
5 상급(賞給): 상으로 줌. 또는 그런 돈이나 물건.
6 조선고(造船庫): 배를 만들거나 고치는 곳.

병졸들은 이렇게 한마디씩 했다. 왕은 처음부터 배를 만드는 이유를 극비에 부치도록 명했던 것이다. 병졸들 사이에서 이러쿵저러쿵 말이 많다는 것을 듣자 왕은 배 이야기를 쓸데없이 지껄이는 자는 처벌하라는 엄명을 내렸다.

"무역선을 제조한다고 거짓 소문을 퍼뜨리면 어떻겠습니까? 병선을 만든다는 소문이 나면 이웃 나라에서 의심을 할 것이오니 미리 조처하심이 좋을 듯하옵니다."

군신들의 이와 같은 건의에 따라, 무역선을 만든다는 소문을 퍼뜨리고, 무역선이 바다를 지날 때 해적을 방비하기 위한 연습을 하는 것으로 꾸며 훈련을 시켰다. 그해 초겨울에 서안평을 정벌하러 갔던 군졸들이 돌아왔다. 총대장 소우가 왕 앞에 엎드려 보고를 했다.

"죄송하온 말씀이오나 기대했던 것만큼의 공을 세우지 못했습니다. 마침 서안평의 군사들이 다른 곳으로 출군을 하고 있고 성은 굳게 잠기고 날씨는 불순하여 혁혁한 전과를 세우지 못하고 돌아왔습니다."

"압록강 하류 지방은 평정되었는가?"

왕은 무엇보다도 이 점이 궁금했다. 좋은 전과를 못 올렸다는 보고를 들으면 기분이 불쾌할 것이지만, 이번만은 낙랑 정벌이라는 대업을 앞에 둔 마당에서 사소한 일로 부하 장수를 문책하지는 않았다.

다만 압록강 하류의 지방이 평정되어 고구려의 관할하에 그대로 있느냐가 문제였다.

"예. 압록강은 모두 우리의 관할 하에 있어서 가끔 대륙과 반도를 통행하는 상인들의 상선이 지나다닐 뿐 아무런 이상이 없나이다."

소우는 이렇게 아뢰었다.

대륙의 가을 날씨는 고약한 데가 있는 법이다. 건조할 때는 건조한 모래바람이 쉴 새 없이 불다가 갑자기 소나기가 내리는 것이다. 이번의 서안평 출정은 국내성을 떠나고부터 모래바람과 비와 싸워야 했고, 야영에서 찬비를 맞은 병사들이 감기가 들고 배탈이 나서 사기가 말도 아니었다.

"우기7의 병술을 잘 터득해야 할 것이옵니다."

왕자 사유도 부왕에게 건의했다. 왕은 사유를 기특하다는 듯이 굽어보면서,

"모두들 수고했다. 전쟁이란 꼭 포로를 많이 잡고 많은 살상을 해야만 승리하는 것이 아니다. 이번 출군은 고구려

---

7 우기(雨期): 일 년 중 비가 가장 많이 오는 시기. 장마철. 우계(雨季).

의 서북 방면에 대한 우리의 군사력을 시위하고 백성들을 안무(按撫)한 점만으로도 큰 성공이다. 병졸들을 배불리 먹이도록 하라."

했다.

312년의 새 아침이 밝았다. 왕은 이해 가을에 출군할 것을 결심하였다. 수군을 여름에 보내야만 가을에 패수에 닿을 수 있다. 수군이 먼저 가서 조선현을 점령하고 태수와 현령을 잡아놓은 다음에 국경을 넘어 군사들이 일시에 밀고 내려가야만 되었다.

처음에 왕이 압록강에서 배를 타고 서쪽 바다로 나아가서 패수로 올라가는 수로를 택하려고 하자, 군신들은 입을 모아 만류하였다.

"위험한 일이옵니다. 종묘사직이 임금님의 한 몸에 달렸거늘 수로로 들어가시면 위험하옵니다."

"압록강은 급류가 많고 또한 바다도 가을이 되면 풍랑이 심합니다. 만일 변이라도 나면 고구려가 지금껏 갈고 닦아온 웅지가 한낱 수포가 됩니다. 부디 자중하시기 바랍니다."

"알았소."

왕은 군신들을 굽어보면서,

"그럼 수로로 가는 병졸들은 누가 지휘를 하겠소?"

했다. 장수들은 모두 말이 없다. 낙랑의 수도를 제일 먼저 점령하여 그 태수와 현령을 잡는 영광은 수로로 가는 장수가 차지하게 된다. 이 영광을 차지하여 후세에 이름을 떨치고 싶었지만 함부로 자원할 수 없는 막중한 임무였다.

또한 그 영광을 얻기까지에는 그만한 위험도 따른다. 배가 뒤집혀 수장8될지도 모르기 때문이다.

"조불 장군이 수로의 총지휘자가 되기 바라오."

왕의 분부가 떨어지자 왼쪽 귀가 없는 조불은 앞으로 나가 읍했다.

"천은이 무량하옵니다. 죽기로써 충성을 다하여 은혜에 보답하겠나이다."

여름이 시작되자 서둘러 낙랑에 가 있는 재모에게 밀사를 파견하였다. 침략의 시기를 알리기 위해서였다. 사실 군신 가운데 어떤 자는 왕에게 다시 나아가 아뢰기도 했다. 재모에 관하여 경계해야 하지 않느냐는 이야기였다.

"재모 장군이 낙랑으로 간 지가 벌써 8년입니다. 그동안

---

8 수장(水葬) : ① 시체를 물속에 넣어 장사지냄. ② 물속으로 가라앉히거나 버림.

그가 혹시 변심한 것은 아닐지 염려됩니다. 적과 미리 짜고 우리 군사를 유인하여 전멸시키려는 수작이 아닐지 염려가 되어 말씀드리는 것입니다."

왕은 벌써부터 이런 생각을 하고 있었다. 그러나 왕의 결심은 변함이 없었고, 재모를 믿는 마음도 변하지 않았다.

"알았소. 만일 재모 장군이 변절을 했다면 고구려의 운명이 끝나게 될 것이오. 그러나 재모는 분명히 고구려인이고 지금껏 고구려에 충성을 다한 장수이므로 고구려인은 자기 조국을 배반할 수 없다는 것이 고구려의 정신이오. 만일 재모와 같은 장수가 조국을 배반한다면, 고구려는 더 존재할 가치가 없소. 그러니 필연적으로 멸망해야 마땅하오. 나라는 흙과 같은 것, 비옥한 땅에서 자라는 나무는 무성하고 척박한 땅에서 자라는 나무는 곧 시들고 죽어버리듯 국가도 그 국가의 기틀과 풍기9에 따라 그 국가의 백성들의 기질이 정해지는 것이오. 고구려는 그 백성들로 하여금 자기가 자란 조국을 배반하지 못하도록 다스려 왔음을 나는 믿소."

"임금님의 심중이 넓은 고구려의 영토처럼 광활하시고

---

9 풍기(風紀): 풍속 · 풍습(風習)에 대한 기율(紀律).

드높은 하늘처럼 높아 그런 말씀을 아뢴 것이 심히 부끄럽습니다."

왕의 생각은 정말로 이와 같았다. 그래서 그는 재모의 충성심을 그대로 믿고 출군 준비를 서둘렀다. 낙랑으로 보냈던 밀사가 한 달 만에 돌아왔다.

"낙랑의 경계가 삼엄해져서 밀서는 가져오지 못했나이다. 재모 장군께서 하신 말씀을 아뢰겠습니다. 이번 가을에는 출군하지 맙시라는 부탁을 받고 왔습니다."

밀사는 왕에게 머리를 조아리며 아뢰었다. 워낙 중요한 자리라서 국상과 소우 조불 두 장수와 왕자 사유만이 왕을 모시고 있었다.

"무엇이라고? 왜 출군을 늦추라고 그러던가?"

왕은 언성을 높였다.

"다름 아니오라, 지금 낙랑군은 심한 장마철입니다. 패수가 범람하여 조선현에도 침수된 곳이 많은 걸 제 눈으로 보고 왔나이다. 강물이 범람하여 배를 타고 강으로 거슬러 올라오기가 힘들다고 하였나이다. 한번 물이 불면 가을까지 계속된다 하옵니다."

"음."

왕은 입맛을 다셨다. 그럴 법한 말이었다.

"병졸들은 모두 훈련을 잘 시켰는고?"

왕이 조불에게 물었다.

"예, 만반의 준비를 시켜 놓았습니다. 압록강 부근 출신을 선발하였으므로 쉽게 숙달되었나이다."

"으흠, 금년 가을이 절호의 기회인데 아깝구나."

왕은 눈을 들어 멀리 하늘을 바라보았다. 소나기가 오려는지 먹장구름이 몰려오고 있었다.

그해 여름은 국내성에도 비가 많이 왔다. 장마가 계속되는 동안은 수군(水軍)들의 훈련도 쉴 수밖에 없었다. 왕은 병기고10에 분부를 내려 창과 군도를 더 만들라 지시하였다. 고구려군은 원래 궁술에 능했다. 산야를 내달리며 맹수를 잡아 그 고기를 먹고 가죽으로 옷을 지어 입는 수렵민족이었으므로 활에는 능해도 칼이나 창은 서툴렀다.

10년 전 현도군을 공략할 때도 왕은 창과 칼 쓰는 법을 병사들에게 익혔고 그 후에도 이 방면의 훈련을 집중적으로 시켜서 이제는 활이나 창이나 모두 익숙하게 다룰 줄 알았다. 군마 사육을 각 호구마다 의무적으로 지워 징발

---

10 병기고(兵器庫): 무기고

했기 때문에 전군11이 모두 기마병으로 편성되다시피 됐다.

왕은 가을이 되자 지방 순회에 나섰다. 한족의 군현 세력을 퇴치하는 마지막 대업을 1년 앞두고 민심도 알아볼 겸 각 고을의 군기를 살펴 온 백성의 일체감을 재확인하고 사기를 북돋우기 위해서였다.

왕은 사유를 데리고 떠났다. 간단한 전복 차림으로 시종 몇 명만 대동하고 떠났기 때문에 그가 지나가는 시골의 길목에서도 지금 왕이 행차하는 줄도 모르고 추수하느라고 바빴다.

"고구려에서 가장 필요한 것이 무엇이냐?"

왕은 사유에게 느닷없이 물었다.

"힘입니다."

사유도 부왕의 그러한 질문을 기다렸다는 듯이 대꾸했다.

"어떤 힘?"

"자기를 지킬 수 있는 힘입니다."

왕은 그제서야 빙그레 웃으며,

---

11 전군(全軍): 전체의 군대.

"이 손을 봐라."

하며 왼손을 번쩍 들었다.

그의 왼손은 손가락이 네 개밖에 없었다. 현도군 공략 때 적에게 당한 것이다.

"고구려는 우선 한족의 세력을 이 땅에서 몰아내야 한다. 너는 애비의 이 잘려 나간 손가락을 두 눈으로 똑똑히 보고 앞으로 네가 왕위에 오른 후에도 명심하여 타민족을 이 땅에서 몰아내야 한다. 고구려는 살생을 위한 전쟁을 해서도 안 되지만 가만히 앉아서 살생을 당해서도 안 된다. 네 말대로 자기를 지킬 수 있는 힘을 길러야 한다."

"예, 아버님."

사유도 나이는 열세 살이지만 행동거지는 벌써 어른과 다름이 없었다. 무술은 뛰어나고 생각하는 것이 지모가 있었다. 그러나 몸이 약해서 늘 부모의 근심을 샀다. 사유를 서안평 공략에도 내보내고 지방 순회에도 데리고 다니는 것은 육체와 정신을 단련하게 하려는 뜻에서였다.

왕의 일행은 보름 후에 수실촌에 닿았다. 수실촌은 왕이 보잘것없는 야인이었을 때 머슴살이를 하던 곳이요 지금의 왕비인 유라 낭자를 만났던 곳이다.

왕은 음모네 집을 찾아보았다. 백발노인이 된 음모는 처음에는 왕을 알아보지 못하다가 비로소 지금 자기 앞에 나타난 사람이 을불임을 알고 맨발로 뛰어나와 땅에 엎드리며 말했다.

"천은이 견줄 데 없나이다. 넓으신 도량으로 이 늙은 목숨을 지금까지 부지하게 해 주셨으니 소인은 오늘 죽어도 한이 없나이다."

음모는 눈물을 뚝뚝 흘렸다.

왕은 그의 손을 잡아 일으키며,

"됐네. 내가 그대를 벌주려고 온 것이 아닐세!"

하며 그의 등을 두드렸다.

"지금도 연못에서 개구리가 많이 우는가?"

"예, 아뢰옵기 황송하오나, 임금님께서 이곳을 떠나신 다음부터 개구리가 모두 사라졌나이다. 이 몸 죽어 마땅하옵니다."

유라 왕비한테서 이미 이런 이야기를 들은 바 있다. 을불이 수실촌을 떠난 다음부터 개구리가 울지 않았다는 것이다. 개구리를 못 울게 하려고 연못에 돌을 던지던 을불. 을불이 피곤을 못 이겨 잠든 사이에 몰래 돌을 대신 던져 주던 유라. 음모가 연못에 돌을 던져 개구리를 울지 못하게 하라고 하지 않았던들 유라와의 인연은 생각할 수도 없는 일이 아닌가. 왕은 음모한테도 후하게 상금을 주고 늦가을이 되어 국내성으로 환궁하였다.

드디어 서기 313년 초여름이 되었다.

고구려 방방곡곡에서는 지방 수비대만 남겨놓고 모든 장정들이 국내성으로 모여들었다. 압록강에는 수많은 병선들이 무기와 식량을 가득 싣고 돛을 올리고 있었고 한편 기마병과 보병들은 낙랑 접경지대로 부대 편성을 받아 떠났다. 군량미를 실은 많은 거(車)들도 뒤따랐다.

왕은 각 부에는 욕살12의 책임 아래 수비대를 견고히 하도록 명하고 수도에서 파견했던 행정관인 처려근지는 각 부서에 동원된 병력을 인솔하도록 하였다.

조불은 압록강에서부터 출발하는 수군을 총지휘하게 하고 육군은 소우가 맡았다. 수륙 양군의 총대장은 왕이 몸소 맡았고 부장으로 왕자 사유를 임명하였다. 백제와 신라와 합동작전을 펴기로 했던 종래의 계획은 취소되었다.

백제는 비류왕 10년이었다. 백제는 황재13가 심하여 백성들이 기근에 허덕였다. 그래서 왕은 백성들을 위무하러 다

---

12 욕살(褥薩): 고구려 때 지방 오부(五部)의 으뜸 벼슬.
13 황재(蝗災): 농작물이 메뚜기나 누리 때문에 입는 재해.

녀야 했고 환과고독14으로서 곡식을 살 수 없는 자에게는 곡식을 하사해 주었다. 비류왕은 그해 정월에 남교15에서 천지에 제사를 지내어 재난이 물러가기를 기원했는데 제물을 바칠 제돈16을 몸소 손질하기까지 했다.

형편이 이렇게 되니, 낙랑 정벌에 함께 참가할 형편이 못 되었다. 고구려의 입장에서 보면, 이미 재모 장군이 조선현의 한복판에 앉아 정보를 수집하고 세력을 뻗쳐가고 있고 더구나 태수와 현령들이 한자리에 모이는 때를 노려 고구려가 침공하게 되어, 이웃 백제나 신라의 도움이 그다지 요긴한 것도 아니었다.

신라는 이때가 흘해이사금이 즉위한 지 4년째 되는 해였다. 신라도 백제와 마찬가지로 황재가 심하고 가뭄이 극심하여 모든 곡물이 말라 죽었다. 민심이 흉흉하여 각지에서 도둑 떼가 벌떼처럼 일어나서 아찬17 급리를 시켜 지방을

---

14 환과고독(鰥寡孤獨): ① 늙고 아내가 없는 사람, 젊고 남편이 없는 사람, 어리고 부모가 없는 사람, 늙고 자식이 없는 사람을 아울러 이르는 말. ② 외롭고 의지할 데 없는 처지를 이르는 말.

15 남교(南郊): 남쪽의 교외

16 제돈(祭豚): 천지에 제사지낼 때 제물로 바치는 돼지

17 아찬(阿飡): 신라 때, 십칠 관등(官等) 가운데 여섯째 등급.

순회하게 하고 노역을 가벼이 하며 죄수들을 다시 살펴서 다스려야 했다.

또한 이때의 신라는 낙랑군보다도 왜국의 약탈과 횡포가 더 큰 골칫덩이였다. 신라의 해변 지방은 늘 왜적에게 침입을 받아 많은 식량과 여자를 빼앗겨야 했고, 왜국에서는 이 핑계 저 핑계를 대고 신라를 못살게 굴고 있었다.

8년 전에 고구려에서 사신 절불이 왔을 때도 신라는 왜적들한테 시달림을 받는 중이어서 서로 국사를 의논할 틈도 없었다. 신라로서는 낙랑의 문제는 그다지 화급한 것이 아니었고 직접 충돌을 자주 일으키는 고구려나 백제가 낙랑을 정벌해 준다면 그때에 가서 북방의 경계를 분명히 할 생각이었다.

출군 준비를 서두르고 있는데 마침 낙랑에 가 있는 재모에게서 또 밀사가 왔다. 이번에는 재모가 친히 쓴 밀서를 가지고 왔다. 시월 초하루에 패수에 와 닿을 수 있도록 하라는 것이었다. 그날 태수와 현령들이 조선현에 모여 회의를 하고 선유18를 한다는 것이었다. 시월 초하루라면 한 달 앞서 9월 초에 병선을 떠나게 해야 하는 것이다.

---

18 선유(船遊): 뱃놀이.

9월 초가 되어 수륙 양군은 각각 출군을 했다. 총 8만을 헤아리는 대군이었다. 나부끼는 군기와 말 울음소리는 천지를 진동하였고 압록강에 뜬 병선은 끝을 헤아릴 수도 없을 만큼 연이어 돛을 올렸다.

왕은 8월 말에 졸본으로 가서 시조묘에 제사를 지내고 낙랑 정벌이 뜻대로 성공하도록 기원하였다. 살생을 많이 하지 않고 낙랑의 발달된 문물을 그대로 쟁취할 수 있도록 한다는 것은 쉬운 일이 아니었다. 그래서 왕은 선왕들에게 기원을 하고, 만일 이번 일이 뜻대로 된다면 고구려는 동양의 거대한 왕국으로 발전하는 기틀이 마련될 것을 믿어 의심하지 않았다.

왕은 기병을 인솔하고 국내성을 떠나 남하하였다. 내려오면서 각 지방의 수비대를 점검하고 욕살을 불러 위안하고 격려하였다.

"하늘이 대왕을 내시어 오늘 이토록 장한 정벌군의 모습을 보게 되었나이다."

지방관들은 창고에서 곡식을 풀어 정벌군을 먹이고 왕의 위업을 칭송하였다. 5만을 헤아리는 육군은 9월 보름에 낙랑과의 접경지대에 도착하여 야영을 했다. 여기서 열흘 동안 야영을 하며 병사들을 쉬게 한 다음 25일 새벽에 일제히 낙랑의 영토로 진격해 들어갔다. 이미 현령과 장수들이 고을을 비우고 조선현으로 떠난 다음이라 낙랑의 사람들을 손쉽게 무찌를 수 있었다. 더구나 관군에게 농토를 징발당하고 그들의 뒷바라지를 하던 농민들은 고구려군이 군기를 앞세우고 진격하자, 곧 투항해 왔다.

장수가 없는 관군들도 무기를 버리고 뿔뿔이 흩어져 도망하였다. 수군 쪽에서 연락병이 온 것은 이틀 후 9월 27일 저녁이었다.

"25일 날 아침 패수 입구에 도착한 우리 군사들은 곧바로 패수로 진입하였나이다. 상류에서 내려오는 화물선들을 세 척이나 나포하였습니다. 초하룻날 예정대로 조선현의 토성(土城) 아래 배를 대고 일시에 상륙할 것이옵니다."

"오오, 장하도다."

왕은 기쁨에 넘쳐 소리쳤다. 병정들은 낙랑군에서 뺏은 갖가지 무기를 신기한 듯 구경하고 있었다. 동촉[19]도 나왔고 소옥도 나왔다. 더구나 낙랑은 이미 전화[20]를 사용하고 있었다. 반냥전·오수전·화천 등의 주화[21]는 고구려군의

---

19 동촉(銅鏃): 청동(靑銅)으로 만든 화살촉.
20 전화(錢貨): 돈.

눈에는 신기하게만 보이는 것이었다.

조불 장군이 이끄는 수군 3만은 패수를 거슬러 올라가다가 내려오는 화물선이 있으면 보이는 대로 나포하여 배에 가득 실린 물건을 빼앗았다. 귀금속이 대부분이었고 약재22도 많았다.

바람은 배를 밀어 올리기에 알맞을 만큼 불고 있었다. 조불은 병사들을 모두 배 안에 앉게 했다. 밖에서 보면 빈 배가 가는 것 같이 보였다. 노 젓는 병사들도 한쪽 옷을 입혀 활이나 창 같은 무기는 하나도 보이지 않게 단속했다. 나포한 화물선을 앞에 세우고 강을 거슬러 올라가는 고구려군은 마치 무언극을 하는 것처럼 아무 기척이 없었다. 가끔 각 조장을 모아놓고 사령선23에서 조불 장군만이 지시를 내리고 있었다. 물새들이 평화스럽게 돛 위로 날아와 앉았다.

"이거 뭐 뱃놀이 나온 것 같구나."

"거 참, 경치 좋다."

"낙랑은 날씨가 이렇게 좋으니 계집들도 아름답겠군."

---

21 주화(鑄貨): 쇠붙이를 녹여 화폐를 만듦. 또는 그 화폐.

22 약재(藥材): '약재료'의 준말.

23 사령선(司令船): 사령관이 타고 함대를 지휘하고 통솔하는 선박. 기함(旗艦).

"이 사람, 큰일 날 소리 말게. 도둑질하거나 여자를 건드리면 목이 달아난다는 명령 모르나?"

"그렇다고 말도 못 할 것은 없잖아?"

"낙랑 계집이 하긴 나긋나긋하지. 우리 여편네들은 원 괄괄하고 드세서 어디 계집 맛이 나야지."

"자네는 총각이니까 아주 낙랑에서 자리를 잡게나."

"후후, 그게 어디 뜻대로 된다구?"

패수의 물은 잔잔하고 고기들이 뛰노는 소리가 철벙철벙 들렸다. 밤이 돼서 불을 켜지 못하게 한 채 그 자리에 닻을 내리고 정박했다. 9월 그믐날 낮에 앞에서 항해하던 순찰선이 낙랑의 배 한 척을 나포해 왔다. 그 배에는 낙랑의 병졸이 타고 있었다.

"이놈들! 오늘 고기밥이 되겠군. 그래 낙랑의 관군 노릇을 하고 얼마나 재미를 봤나?"

고구려군이 이렇게 다그치자, 낙랑의 병졸은,

"나를 죽이면 안 되오. 고구려 장수한테 나를 빨리 데려 가시오."

하며 포로치고는 의젓하고 당당하게 말하는 것이었다.

"이 자식, 건방지군."

고구려 병사가 칼을 들어 후려치려는 찰나에 순찰선의

조장이,

"가만 놔두게. 죽이는 거야 뭐 어려운가? 무슨 까닭이 있을지도 모르니 조불 장군이 탄 사령선에 보내 주게."

한다.

이자가 바로 재모 장군이 보낸 첩자였다. 조불은 그를 맞아 조선현의 위치와 나루터의 구조에 대한 정보를 자세하게 들었다. 낙랑 태수가 있는 곳은 토성리인데 패수 남안에 있는 우뚝 솟은 대지에 자리 잡고 있는 요새였다. 사방으로 성을 높이 쌓았고 패수가 앞으로 흘러 적의 웬만한 공격에도 끄덕없는 곳이었다. 또한 언덕 위에 높은 망루가 있어서 강을 한눈에 굽어볼 수 있으므로, 낮에는 언덕 뒤에 숨었다가 내일 초하룻날 새벽어둠이 채 가시기 전에 일제히 나루터까지 도착해야만 한다는 것이었다.

조불은 모든 병선에게 전령을 내려 되도록 강의 남안에 바싹 붙어서 배를 몰라고 명령하고 재모가 보낸 첩자가 지시하는 후미진 곳에서 정박하였다. 그날 밤은 병사들도 모두 생식24을 하게 했다.

---

24 생식(生食): 익히지 않고 날로 먹는 일.

가을밤의 소슬한 기운은 옷소매를 파고들었지만 장졸이 모두 긴장하고 있어서 누구도 쉽게 잠이 오지 않는 눈치였다. 나포한 화물선에 활 잘 쏘는 병사들을 태워 순찰 임무를 부여했다. 가을밤은 점점 깊어 갔다.

"지금까지 전사한 병사는 모두 몇 명인가?"

조불은 부장을 불렀다.

"예. 압록강에서 급류에 휘말려 병선이 전복되었을 때 이십 명이 죽었고 바다로 나와서 배가 암초에 걸려 두 척이 뒤집혔습니다."

"병사들의 사기는?"

"하늘을 찌를 듯합니다."

"음, 내일 새벽 동이 트기 전에 출발하여 나루터를 점령한다. 각 조장에게 전달하라. 군명을 어기고 현 위치를 이탈하는 자는 엄벌에 처할 것임을 명령하라."

"……"

"우리는 내일이면 드디어 민족의 숙원인 낙랑군을 멸망시키게 된다. 이는 하늘이 도우시고 우리 대왕의 왕업이 번창함을 의미하는 일로 낙랑을 쳐부수는 고구려 병사의 이름이 후세까지 남아 칭송을 받을 것이다."

이튿날 새벽이 되었다. 서기 313년 10월 1일의 새벽이 되었다. 조불 장군이 이끄는 병선이 나루터에 도착하였다. 병사들은 배에서 내려 개미 떼처럼 언덕으로 기어올랐다. 적이 저항할 틈도 없이 수비대의 망루를 점령하고 재모 장군과 미리 약속된 대로 봉화를 올렸다.

"만세! 고구려 만세!"

"와! 와!"

병사들은 치솟아 오르는 불기둥을 보면서 목이 터져라 하고 함성을 질렀다. 동이 트기 시작했다. 태수와 현령들은 숙소에서 고구려군의 침입 소식을 듣고 놀라 일어났다. 긴급회의를 소집하고 수비대장 경방과 재모를 불렀다.

"어떻게 된 거냐? 고구려군이 코밑까지 쳐들어오는 것도 모르고 무슨 수비를 했다는 거냐?"

태수는 턱수염을 부르르 떨며 호령호령했다. 수비대장은 입을 열 수가 없었다.

"병선을 타고 패수를 거슬러 올라와 쳐들어왔다는데 그게 사실인가?"

"예, 그런 줄 아옵니다."

"이런 빌어먹을 놈들 같으니! 고구려에는 병선이 한 척도 없을 텐데 이게 웬일이란 말인가!"

태수는 부랴부랴 전복으로 갈아입고 각 현령에게 외쳤다.

"그대들은 급히 말을 달려 각 현으로 가시오. 가서 목숨이 다하는 데까지 고구려군을 막으시오. 4백여 년간 존속돼 온 낙랑을 내가 태수로 있는 한 포기할 수가 없소. 빨리들 가시오!"

태수는 잠시 말을 끊었다가 외쳤다.

"수비대를 모두 집합시켜라!"

현령들이 말을 몰아 대문을 나서려고 하자 문밖에 잠복해 있던 고구려군은 그들을 손쉽게 모두 체포하였다. 수비대장 경방은 태수의 불호령을 듣고 칼을 입에 물고 엎어져 자결을 하고, 태수는 몸을 부르르 떨며 이리 뛰고 저리 뛰며 고래고래 소리를 지른다.

"태수는 듣거라! 나는 본래 고구려의 장군으로 낙랑에 잠입해 들어와 오늘이 오기를 이를 악물고 기다렸다. 이미 하늘의 운이 다하였거늘, 우리 대왕께 무릎 꿇고 사죄하고 그동안 너희들의 잘못을 빌어라!"

재모는 태수의 손에서 칼을 뺏고 나자 큰소리로 이렇게 외쳤다. 태수는 깜짝 놀라 얼굴이 창백해지며 그 자리에 털썩 주저앉았다.

잠시 후에 조불 장군이 고구려군을 이끌고 들어왔다.

"재모 장군!"

"조불 장군!"

두 장수는 얼싸안고 서로 얼굴을 비비었다. 고구려왕이 낙랑의 각 현을 평정하고 남부에서 명맥을 이어가던 대방군을 정벌한 뒤 조선현에 들어온 것은 얼마 뒤의 일이었다. 이미 조선현은 고구려의 손안에 완전 장악되어 있었다. 왕을 맞으러 나온 조불과 재모는 말에서 내려 왕 앞에 무릎을 꿇었다.

"대왕의 위업이 하늘과 같이 높고 넓습니다. 오늘 낙랑을 송두리째 우리 손안에 넣은 것은 대왕의 깊은 통찰 때문이옵니다."

"오, 수고했다. 재모 장군은 적지에서 얼마나 고생이 많았는고?"

재모는 눈물이 복받쳐 아무 대꾸도 할 수 없었다.

조선현의 거리는 돌로 포장이 되어 깨끗했고 길옆으로 늘어선 상점에는 본토에서 건너온 각종 장신구와 거울이 쌓였고 주거지는 기와지붕이 고기비늘처럼 막 떠오르는 태양 빛을 반짝였다.

"고구려 만세!"

"고구려 대왕 만세!"

주민들도 거리로 몰려나와 살생과 약탈을 하지 않고 무

혈로 들어온 점령군을 환영하였다. 이미 민심도 고구려 편으로 일신돼 버렸던 것이다.

고구려왕은 백성들의 환영을 받으며 임시로 마련된 옥좌에 올랐다. 눈을 들어 아래를 굽어보았다. 햇볕에 얼굴이 탄 고구려 군사들이 뜰 아래 끝도 없이 정렬해 있었다. 그 너머로 패수의 물줄기가 가을 하늘 아래 반짝이며 있었다. 확실히 북국보다는 자연의 경관이 아름다웠다.

"오늘 우리는 숙원인 낙랑군을 정벌하였도다. 더구나 오늘의 정벌은 살생과 파괴를 피하고 쟁취된 것이므로 고구려의 국력을 내외에 선양했다는 점에서 길이 빛나리라."

왕은 잠시 말을 중단하고 아래를 굽어보았다. 낙랑의 태수와 현령들이 오랏줄에 묶여 그 아래 부복하고 있었다.

"낙랑의 모든 토지와 건물과 재물은 일찍부터 우리 민족의 것이다. 낙랑의 문화도 사실 우리 민족의 손으로 오늘의 찬란함을 이룩한 것이 아닌가. 이제 북방 고구려의 문화와 남방 낙랑의 문화가, 한 울타리 속에서 같은 주인을 만났도다."

왕은 즉위하자마자 전장에서 생활한 사람 같지 않게 문화를 중시하는 말을 했다.

낙랑 태수는 정신을 차려 고구려왕을 올려다보았다. 그의 눈에서 뿜어져 나오는 섬광에 눈이 아플 만큼 왕의 얼굴은 이글이글 불타고 있었다.

"태수는 듣거라! 4백2십여 년에 걸쳐 이 땅을 유린 약탈하고 백성들을 지배하였으니, 영구히 이런 악랄한 일을 안 저지른다는 맹세를 하고, 사죄하는 말을 문서로 남기기 바라노라. 영원히, 영원히, 우리 민족의 영토를 넘보지 않겠다는 것을 문서로 남겨라."

태수 앞에 붓과 종이가 하달되었다. 태수는 떨리는 손으로 사죄장을 써 내려갔다. 다 쓰고 난 다음에 태수와 현령들이 관명25과 성명을 기록했다.

왕은 사죄장을 두 통 작성케 하여 한 통은 왕이 갖고 나머지는 태수와 현령들을 압송하는 배에 신게 했다.

"대왕의 은혜가 망극하오이다."

태수와 현령들은 눈물을 흘리며 왕에게 절을 했다. 장수 가운데는 태수와 현령을 살려 보내면 후환이 있으리라 염려하는 자도 있었지만, 왕은 그들을 떠나보내면서,

"가서 너희들의 임금에게 말하라. 다시는 이 땅을 넘보지 말 것이며 하늘이 내리신 자기의 영토에서 자기 백성을 다

---

25 관명(官名): 벼슬 이름. 관직 이름.

스리며 좋은 임금이 되라고 일러라!"

했다.

조선현은 그날로 모든 것이 평정되어 곧 안정을 되찾았다. 질서 있게 움직이는 고구려군은 낙랑의 관군을 묶어 압록강 서북 방면의 미개척지로 보내어 개간에 종사케 했다. 백성들도 고구려 군사의 군기와 백성을 맞아들이는 포용력에 감탄했다.

왕은 그해 겨울을 조선현에서 보내며 백성들을 위무하고 이듬해 봄에 국내성으로 환궁하였다. 또한 그해에 사유를 태자로 삼고 더욱 내치에 힘쓰며 은인자중 국력을 길러나갔다.

서기 331년 2월에 왕이 돌아가시므로 미천지원에 장사지내고 시호26를 미천왕이라 하였다.

---

26 시호(諡號): 제왕 · 경상(卿相) · 유현(儒賢)이 죽은 뒤에, 그 공덕을 칭송하여 임금이 추증(追贈)하던 이름.

소설 미천왕 해설

   미천왕(美川王, 재위: 300년~331년)은 고구려의 제15대 왕
으로 이름은 을불(乙弗)이다. 고구려 제13대 왕 서천왕의
손자이고, 고추가(古鄒加) 돌고의 아들이다.

   봉상왕 9년(300년) 봄 2월부터 가을 7월이 되도록 비가
오지 않아 가뭄이 심했다. 흉년이 들어 백성들이 굶주리는
가운데 봉상왕이 나라 안의 남녀 15세 이상인 사람들을 징
발해 궁궐을 증축하는 공사를 강행하여 백성들의 원성이
높았다. 국상 창조리가 "자연재해가 잇따라 닥치고 흉년이
들어 백성들은 살아가기 어려운데 궁궐을 짓는 공사는 백
성의 부모인 임금이 할 일이 아니오니 미루는 것이 좋겠사
옵니다."라고 간했으나 봉상왕은 받아들이지 않았다. 창조
리는 봉상왕에게 백성들의 여론이 중요하다는 것과 유교
정치사상의 기준이 되는 인(仁)과 충(忠)이라는 것을 내세웠
던 것이다. 이를 통해 이 시기에 이르러 고구려에서 유교
정치사상이 꽃피고 있었다는 것을 알 수 있다.

   봉상왕이 간언을 받아들이지 않자, 미천왕 원년(300년)

가을 9월, 창조리는 봉상왕이 후산(侯山)이라는 곳으로 사냥을 떠나자 사냥터에서 신하들에게 자기 생각을 밝히고 "나와 뜻을 같이할 사람은 모두 나를 따라 하라."고 말하고는 갈잎을 관에 꽂았다. 많은 사람이 모두 그를 따라 관에 갈잎을 꽂았다. 창조리는 신하들의 마음이 모두 같은 것을 알고, 마침내 여러 신하와 모의하여 봉상왕을 폐위한 후 별실에 가두고 군사들이 주위를 지키게 하였다. 봉상왕은 화를 면하지 못할 것을 알고 두 아들과 함께 목을 매달아 스스로 목숨을 끊었다. 봉산원(烽山原)에 장사지내고 왕호를 봉상이라 하였다. 드디어 왕손 을불을 맞이하여 옥쇄와 인끈을 바쳐 왕으로 추대하였다.

한편, 『삼국사기』, 권 17, 「고구려 본기」에 나오는 「을불 설화(미천왕 설화)」는 큰아버지인 봉상왕이 고구려 제14대 왕으로 즉위한 다음 해에 백성의 신망이 두터운 동생 고츠가 돌고가 반역을 꾀했다고 역모자로 몰아 죽이자, 을불이 목숨을 부지하기 위해 왕손의 신분을 감추고 봉상왕의 칼끝을 피해 국내성을 떠나 압록강 주변 등지에서 머슴살이 · 소금 장수 등으로 떠돌던 행적을 전하는 설화이다. 창조리는 뜻을 같이하는 신하들인 북부 사람 조불과 동부 사람 소우를 불러, "조불과 소우, 그대들은 전국 방방곡곡을 다

니며 을불을 찾아 모시고 오시오."라고 말했다. 비류 강가
에서 을불을 만난 조불과 소우는 그가 국내성을 떠나 있는
동안 일어난 일을 이야기하고 창조리에게 그를 모시고 갔
다.

「을불 설화(미천왕 설화)」에서 특히 주목되는 것은 을불이
압록강 동쪽의 사수촌 등지에서 소금 장수를 했다는 것이
다. 3세기 무렵이 되면 고구려에서는 토지를 소유하고 있
으면서도 농사를 짓지 않고 상업에 종사하거나 수공업에
종사하는 사람들이 다수 생겨났다. 뱃길과 육지의 길을 이
용하여 상업 활동이 활발하게 이루어졌고, 곳곳에 시장이
생겨났다. 이를 통해 3세기 후반의 고구려 사회상을 살펴
볼 수 있다.

영토 확장에 힘을 기울여 서방과 남방으로 팽창해나간
미천왕은 낙랑군·대방군 등의 한사군 세력을 축출하고 대
동강 유역에 진출하는 등 고구려의 영토를 넓히는 데 있는
힘을 다했다.

미천왕 연보

300년(미천왕 원년) 창조리 등이 봉상왕을 폐하고 을불을 왕
으로 받들어 모셨다. 마침내 그는 고구려
15대 임금, 미천왕이 되었다.

302년(미천왕 3년) 가을 9월, 미천왕이 군사 3만 명을 거느
리고 현도군을 침공해 8천 명을 사로잡아
평양으로 옮겨왔다.

311년(미천왕 12년) 가을 9월에 미천왕은 장수를 보내 요동
(遼東)의 서안평(西安平)을 공격하여 빼앗
았다.

313년(미천왕 14년) 겨울 10월에 낙랑군을 침공하여 남녀 2천
여 명을 사로잡아 왔다.

314년(미천왕 15년) 봄 정월에 왕자 사유를 태자로 삼았다.
대방군을 공격하여 정복하였다.

315년(미천왕 16년) 봄 2월에 현도성을 공격하였다.

319년(미천왕 20년) 겨울 12월, 동진(東晉, 317년~420년)의
평주자사(平州刺史) 최비(崔毖)가 도망해

왔다. 처음에 최비가 몰래 고구려와 단씨(段氏) 및 우문씨(宇文氏)를 설득하여 함께 모용외(慕容廆)를 공격하게 하였다. 세 나라가 극성(棘城)으로 나아가 공격하자, 모용외는 성문을 닫고 스스로 지키면서 유독 우문씨 군사에게만 쇠고기와 술을 보내 위로하였다. 다른 두 나라는 우문씨와 모용외 사이에 어떤 음모를 꾸민 것이 아닌가 의심하여, 각각 군사를 이끌고 돌아가 버렸다. 우문대인(宇文大人) 실독관(悉獨官)이 말하기를, "두 나라는 비록 돌아 갔으나, 우리는 혼자 힘으로 극성을 빼앗을 수 있다."라고 했다. 모용외가 그의 아들 모용황(慕容皝, 297년~348년)을 시켜 장사(長史) 배억(裵嶷)과 함께 정예병을 이끌고 선봉에 서게 하고, 자신은 대군을 거느리고 뒤를 이었다. 실독관은 크게 패해 몸만 겨우 빠져나갔다. 최비가 이를 듣고 자신의 형의 아들 최도(崔燾)를 시켜 극성에 가서 거짓으로 승리를 축하하게 하였다. 모용외가 군사를 대동하고 최도를 접견하였다. 최도가 이를 보고 두려워하여 자백하고 말았다. 모용외는 곧 최도를 돌려보내면서 최비에게 일러 말하기를, "항복하는 것이 상책이오, 도주하는 것은 하책이다."라고 했다.

모용외는 군사를 이끌고 최도의 뒤를 따랐다.

최비는 기병 수십 명을 데리고 집을 버린 채 고구려에 도망해왔고, 나머지 군사들은 모두 모용외에게 항복하였다.

모용외는 그의 아들 모용인(慕容仁)을 시켜 요동(遼東)을 진무하게 하였다. 관부 및 저자와 마을들이 예전과 같이 평안하였다. 고구려 장수 여노(如孥)가 하성(河城)을 차지하고 있었다. 모용외가 장군 장통(張統)을 보내 덮쳐서 여노를 사로잡고, 주민 1천여 호를 포로로 하여 극성으로 돌아갔다.

미천왕은 자주 군사를 파견하여 요동(遼

東)을 침공하였다. 모용외는 모용한(慕容
翰)과 모용인을 시켜 고구려를 쳐들어왔
다. 미천왕이 동맹을 요구하자, 모용한과
모용인이 바로 돌아갔다.

320년_(미천왕 21년) 겨울 12월, 군사를 보내 요동을 침공하였
다. 모용인이 대항하여 싸웠다. 고구려가
패배하였다.

330년_(미천왕 31년) 후조(後趙, 319년~350년)의 석륵(石勒)에게
사신을 보내 싸리나무로 만든 화살을 주
었다.

331년_(미천왕 32년) 봄 2월에 미천왕이 죽었다. 미천의 언덕
에 장사 지내고 시호를 미천왕이라 했다.

소설 미천왕을 전후한 한국사 연표

기원전 37년   고주몽, 고구려를 건국.

기원전 57년   박혁거세, 백제를 건국.

기원전 18년   온조, 백제를 건국.

서기 3년   고구려 국내성으로 수도를 옮김.

서기 42년   김수로, 가락국(금관가야)을 건국.

서기 53년   고구려 태조왕, 왕위에 오름.

서기 65년   신라, 국호를 계림으로 고침.

서기 115년   신라, 금관가야를 치다가 황산하에서 패함.

서기 194년   고구려, 을파소에 의해 진대법을 실시.

서기 244년   고구려, 유주자사 관구검 침공, 국내성 점령.

서기 260년   백제, 고이왕 때부터 중앙집권 국가의 기틀
             을 확립.

서기 285년   백제 왕인, 『논어』.『천자문』을 왜나라에 전
             함.

서기 307년   신라, 국호를 '신라'로 사용하기 시작.

서기 313년   고구려, 낙랑군을 공격하여 점령.

서기 356년   신라, 내물 마립간이 왕위에 오름.

서기 371년   백제, 고구려 평양성을 공격. 고국원왕 전사.

서기 372년   고구려에 불교가 전해짐.

서기 400년   고구려, 광개토왕이 5만 병력으로 금관가야
　　　　　　 -백제-왜나라 연합군을 격파하여 신라를 지
　　　　　　 원.

서기 427년   고구려, 평양으로 수도를 옮김.